ベニシアの京都里山日記

大原で出逢った宝物たち

ベニシア・スタンリー・スミス

写真・翻訳　梶山　正

Live the life you love.
Old things can be given a new life.

自分が心から好きになれる生き方を選んで、
それを実行して。
私は、古いものに新しい命を吹き込みたい。

Tulips
Wine Garden
2009.

目次

第一章

第二章

出会いの場、集いの場　65

第五章

大原の冬休み　145

母の実家、ケドルストン・ホールの図書館とカーゾン卿夫妻

第一章

古きものを愛する日本の心、イギリスの心

カーゾン卿が記した日本の姿

私は子供の頃、学校が休暇になると、よく祖父母を訪ねてダービシャー州にあるケドルストン・ホールに行きました。祖父母が住んでいるこの屋敷は、おとぎ話に出てくるお城のように豪華な作りで、そのあまりの大きさに私はおののきました。夜になると先祖の幽霊が出てきそうで、怖かったことを覚えています。

この屋敷の中で私の一番お気に入りは「東方美術館」でした。ここに展示されていた東洋の美術工芸品は、私の目にエキゾチックに映り、私は東洋の国での暮らしに想像を巡らせました。今思えば、私の東洋の文化や哲学に対する興味は、この場所で植え付けられたのでしょう。この数々の美術品は、私の曾祖伯父、カーゾン卿が二度にわたる世界旅行から持ち帰ったものでした。

ジョージ・ナサニエル・カーゾン卿は、一八五九年にケドルストンで生まれ、一九二五年に六六歳で亡くなりました。オックスフォード大学ベイリオルカレッジを卒業した後、アジア全域を周遊し、日本にも二度訪れています。最初は一八八七年（明治二〇年）に、世界旅行の際に日本に立ち寄りました。当時二八歳。二度目の来日は、その五年後で、研究と執筆のためでした。三九歳でインド総督となり（一八九八～一九〇五年）、その後、オックスフォード大学総長（一九〇七～一九二五年）を務めました。彼は、また政治家としても活躍しました。イギリスの下院、上院の議員を務め、一九一九年から一九二四年まで外務大臣となりました。

一方、探検家、紀行作家としても名を残しています。一八九五年には、ペルシャ、アフガニスタンを中心としたアジア探検旅行記を書き、ロンドンの王立地理学協会からゴールドメダルを授与されました。後に同協会の会長（一九一一〜一九一四年）も務めています。日本でも彼の著作物は、『シルクロードの山と谷』（世界山岳名著全集一巻）と題する本に邦訳され、現在でも日本の登山家や探検愛好家に読まれているようです。また、カーゾン卿は歴史的建造物の保護を目的とする団体であるナショナル・トラストの事業を支援し、イギリスだけでなく、インドにある数多くの城や宮殿の修復を自ら手がけました。ロンドンで亡くなった時には、ウェストミンスター寺院で葬儀が行われました。

彼には三人の娘がいましたが、息子には恵まれませんでした。イギリスの貴族の場合、継承者は男性でなければなりません（皇室、又は一般の人の場合、継承者の男女は問われません）。彼の死後、カーゾン家の次の継承者となるはずの人は弟のアルフレッド・カーゾンでしたが、彼は兄よりも先に亡くなっていたので、アルフレッドの長男のリチャード・カーゾン（私の祖父）が継承者となり、ケドルストンの地所とスカースデイル伯爵の称号を受け継いだのです。そして、この屋敷で私の母ジュリアナ・カーゾンが生まれました。

私がジョージ・ナサニエル・カーゾン卿のことを詳しく知るようになったのは、京都に暮らすようになってからのことでした。イギリスから遊びにきた友人が、カーゾン卿の本をお土産に持ってきてくれたのでした。驚いたことに、カーゾン卿の本には、二度の来日で撮った写真も掲載されていました。彼は横浜、京都、神戸を訪れ、富士山にも登ろうとしていました。京都の鴨川の河川敷での相撲の様子や、雪に被われた冬の金閣寺などが、ピンホールカメラで撮影されています。強い情熱と好奇心を持ってこの国を観察したのでしょう。京都の寺院や家屋が並ぶ風景に魅了され、日本が高天原《たかまのはら》と呼ばれる神の国であることに納得したようです。彼はまた、人々が礼儀正しいことに深く感嘆しています。

「私が店に入ると、店主はひたいが床につくまで深くお辞儀をして迎えてくれます。これは単なる表面的な習慣ではありません。この国の人々に本質的に備わった礼儀正しさなのでしょう」

初めて訪れた京都については、こう語っています。

「この街は豊かな緑に包まれており、その趣のある優雅な姿が山間に浮かんでいます。夜明けに街全体が白い霧に包まれた時は、寺院の重厚な黒い屋根が、まるで転覆した巨大な船が海から浮かび上がってくるかのように見えます。すると、もやの向こうから寺院の鐘が鳴り、哀愁のある空気が徐々に広がってきました。日没時には、どこまでも続く町家の格子窓から温かい光がこぼれ、路上にゆらめいています。まるで、ほの暗い森の中からホタルの群れが飛び出してきて、戯れているかのように。町家からは温かい人の声や物音が聞こえてきます。そして、路上を交差する大きな声や笑い声は、上空へ響き渡るのです」

このようにカーゾン卿が本の中で書き残したことは、私が三八年前の一九七一年に初めて京都に到着した日に、目にし、感じたことと同じでした。彼はシルクハットや燕尾服などの西洋の服装は、日本人の体型に合わないのでは、と書いています。日本人には着物の方がずっと似合うと思ったようです。私も鹿児島に初めて到着した時、まったく同じ感想を持ちました。着物はこんなに美しく、優雅で洗練されているのに……目にした人のほとんどが洋服を着ていたことをとても残念に思いました。

カーゾン卿は、一八九二年に二度目の訪日を果たします。今度は周遊ではなく、『極東の課題』という本を書くためでした。この旅では、日本と中国と朝鮮の政治問題、また極東の国々や英領インドと英国との関係を考察することが目的でした。この本の最初の章、「近代日本の発展」では、最初の訪日からの五年間に、多くの変化があったと記しています。例えば、「この国のヨーロッパ化は迅速に進んでいます。鉄道は、一八八七年に訪日した時は、東京周辺と関西周辺の間に短い距離で敷設されていただけでした。それが、五年後の一八九二年には本州に一九八〇マイルにもわたって敷かれていました」

新しく路面電車も走っており、あちこちにガス灯や電灯ができて、頭上に電信柱が伸びていると、カーゾン卿は書いています。また、残念なことに、美しく立派な大名屋敷や武家屋敷がほとんど消えてなくなっているとも記しています。美しい日本の木の建物が、けばけばしいヨーロッパ風の建築に建て替えられたと嘆いているようでした。

また、日本人をキリスト教に改宗させようと、アメリカから多数の宣教師が来日していることにも疑問を抱いていたようです。日本にはすでに神道という、独自の素晴らしい宗教があるのに、なぜ改宗の必要があるのだろうかと。

カーゾン卿は、伊藤博文《いとうひろぶみ》公爵と親交があったようです。二人が初めて出会ったのがイギリスだったのか、又は日本だったのかについては書かれていません。彼は著書の中で、日本の新政府樹立がなかなか思うように進まないと心配する伊藤公爵に、イングランドは数百年かかったのだから……と励ましたと書いています。

「伊藤公爵、井上馨《かおる》侯爵、そして陸奥宗光《むつむねみつ》伯爵と、政治状況について何度か話をする機会が持てたのは光栄だった。差し出がましいかもしれないが、このような秀でた政治家を何人も輩出するこの国を、私は外国人ながら賞賛したい」

また、国会審議を参観し、日本の政治家についてこう述べています。

「しばしば非常に長丁場となる彼らのスピーチは、その品のある話し方といい、論法の迅速さといい、まったく素晴らしい」

カーゾン卿はこの本を通して、英語圏の人々に日本の暮らしぶりや当時の日本の政治状況をできるだけ正確に伝えようとしたのでした。

それから約一二〇年が過ぎましたが、多くの外国人は日本のほんの一部だけを知り、型通りのイメージを持ってしまうのが現実のように思います。私は人生の大半をこの国で過ごし、たくさんの愛や幸せをもらいました。私も感謝の気持ちを何か行動で表したいと思っています。

Nobility is not a birthright, but is defined by one's actions.

高貴な人間であること——。
それは生まれついた身分ではなく、
その人の行動によって決まるのである。

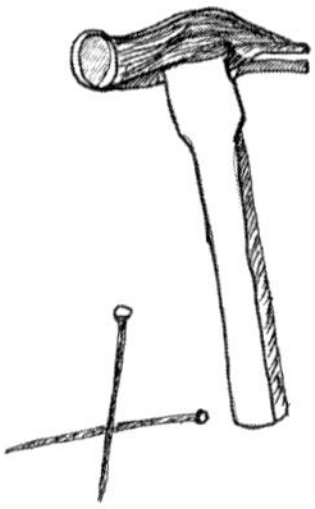

築一〇〇年の農家を改築

夫の正がスキーでまた骨折しました。二〇〇三年の冬のことです。正は数年に一度は、登山やスキーで、大きな怪我をしています。今回はスキー場のパークで、ジャンプした後の着地に失敗したのでした。足首が治るまでの約三ヶ月間、正はカメラマンの仕事ができません。最初はちょっと落ち込み、歩けないのでパソコンを触ったり読書をしたりして過ごしていました。

我が家は、ベンガラ色（赤茶色）に塗られた木と白い土壁の色が調和した、築百年あまりの農家です。この家に引っ越してきた当初、私は英会話学校での仕事を休み、正と一緒に家の修理に明け暮れる毎日を過ごしていました。雨漏りする屋根や壊れた雨樋を修理し、危険な古い電線や水道の配管を取り替え、畳の部屋を板の間に替え、家中のカーテンを作るなど……やるべきことが限りなくありました。ずっと家の修理に専念していた私たちを不思議に思ったのか、近所の人たちは「お仕事は何をされているのですか?」と尋ねてきました。またしばらくすると次は、「大工さんに頼まずに自分で家をいじって大丈夫なんですか?」と不思議そうに声をかけてきました。「どうしても手におえなくなった時は、プロに頼むつもりですよ」と答える正。でも、「どんなにヘタでも自分でやってみたい」というのが彼の本音でした。

日本人は、とても器用だと思います。それなのに、自分で家の修理や庭の手入れをする人が、イギリスに比べて少ないのはなぜなのでしょうか。仕事が忙しすぎて、家や庭に手をかける時間がないのでしょうか。それとも、日本の職人さんたちの技術があまりにも高いので、素人には手が出せないものだと思われているのでしょうか。不景気が続くこの頃、懐は寂しくなったものの、自由に使える時間が増えた人は多いのではないかと思います。

さて、私たちが引っ越してきた当初、玄関と裏庭を繋ぐ土間にごはんを炊く竈《かまど》が備え付けられていました。この台所を京都では「おくどさん」と呼んでいます。この伝統的で文化財のような造りを残しておきたいと思ったのですが、土間としてもっと有効に使いたかったので、撤去することにしました。土間は高さが約八メートルある吹き抜けの空間でしたが、小さな窓がひとつあるだけなので、昼でも薄暗くジメジメしていました。以前、この土間にぴったりの大きさの窓枠を知人からもらっていたのですが、正はその取り付け作業に手を付けずにいました。

ある日のことです。私が仕事から戻ると、家の様子がいつもと違うことに気付きました。見ると、土間が工事現場のようになっており、もうもうと土埃が立ち込める中に正がいました。窓枠をはめるために、土壁を電動丸鋸《まるのこ》で切り取っていたのです。正は自分の気が向いた時に、何の前触れもなく突然に大規模な工事を始めます。

やがて小学校から帰ってきた息子の悠仁《ゆうじん》も作業に加わりました。父親と一緒におもしろがって土壁をバールで叩いています。悠仁も正もマスクをしていたのですが、二人とも鼻の穴が真っ黒になりました。大きく開いた土壁の穴に窓枠をはめ、崩れた壁を補修する作業が続きます。

途中でシロアリにやられた柱が見付かると、それをまず補修せねばならず、思ったように作業がはかどりません。遊びにきた娘家族や友人たちにも作業に加わってもらいました。

ある日、家の構造について書かれた本を読んでいた正が、顔を上げて言いました。

「しまった。俺、家の構造をだめにしてしまったかもしれん……窓を付けるために土壁を壊して、その時一緒に貫《ぬき》もほとんど取り除いてしまった。この貫という構造が伝統的な日本家屋には重要みたいだよ」

木造の家の建て方には、大きく分けて、昔からの「伝統工法」と現在一般的な「在来工法」の二種類があるようです。伝統工法で建てられた家には、貫という薄い板が柱と柱を横につらぬいています。貫は柱に固定されるのではなく、柱に開けた穴に通されており、それが家の構造には大切なのです。その貫の上を柔らかな土壁が被っているため、地震がくると、柱や梁《はり》が微妙にずれ、家がしなるように揺れ、振動を逃がしてくれます。それに対して、在来工法の家は貫を使いません。柱と柱の間に対角線を作るように、斜めに固定する斜交《はすか》いを入れます。この場合、梁と柱と斜交いが三角形の構造でがっちりと固定され、構造は頑強になるのですが、振動に対するねばりがなくなります。家が地震の震動に耐えられる限界にきて斜交いが外れてしまうと、家は一気に倒れてしまうとのことです。在来工法の家は、堅くて強い構造ではありますが、地震には比較的もろいようです。今、伝統工法の家が建てられなくなっているのは、昭和二六年にできた建築基準法によるそうです。法的な規制により、なぜか現在では、伝統工法の家を建てることができなくなっているのです。

「じゃあ、この家はどうしたらいいの？」

「まあ、今からどうしたらいいのかよく分からんね。この家は、本来全て伝統工法で造られていたんやねぇ。でも、僕が手を付けたところは、在来工法になってしまったよ」

正は改築工事で常に新しい発見をしており、そのため時折、このように危うい状態になってしまったことに気付かされます。

当初は土壁を壊し、窓枠を取り付けるだけの予定でしたが、実際窓を付けてもあまり土間が明るくならないことに気付きました。そこで、約五メートルの高さのところに、明かり取りを付けることにしました。それには、まず足場作りから始めなければなりません。そして、ようやく土間の作業が終わったと思ったら、正は次の部屋の改築に移りました。玄関横の部屋の腐りかけていた床板の張り替えです。大掛かりな作業が続くと、正は完全に大工さんになった気分で必死に取り組みます。

「自分で古い家を触ると、今まで知らなかったいろいろなことが発見できておもしろいよ。昔の職人はすごいなあ」と正がつぶやきます。毎日のようにホームセンターへ通い、新しく手に入れた道具を嬉しそうに使っています。毎夕大工仕事が終わると薪ストーブを囲んでワインを飲みました。その日やった仕事を眺め、これからやりたい計画について語ることを肴にして。

そんな二ヶ月を過ごすうちに正の足は治りました。

When repairing an old house, we can learn many things.

古民家を修理する過程で、
私たちはたくさんのことを学ぶ。

The Old
Farmhouse
Kitchen
in Winter
Ohara.

薪ストーブでじんわり暖まる

目が覚めて、まだ薄暗い窓の外を見ると雪が舞っていました。庭や畑、道や屋根には、分厚い白いカーペットが敷き詰められていました。私は寒さに震えながらヒーターのスイッチを入れて、急いで布団に戻りました。部屋がほんのり暖まってきたところで、靴下を穿《は》き、はんてんとショールを身に着けます。ひんやりとした階下へ降りて、納屋と台所にあるストーブに火を入れました。トイレの横にある手水鉢の水には、氷が張っています。「今朝は水道が凍って洗濯機が使えないかしら……」。そう思いながら、朝の家事の段取りを考えました。

スライスしたしょうが、紅茶、ミルクを鍋に入れてインド式の熱いチャイを煮たてます。日が昇り、明るくなってきた庭では、小さな愛らしい山雀《やまがら》が南天《なんてん》の実をつついています。長年、日本で暮らしてきましたが、冬の朝の三〇分は未だに辛い。イギリスではほとんどの家にセントラルヒーティングがあるので、この辛さを味わうことはありません。しかも、大原の私の家は築一〇〇年の民家で隙間が多いため、夏は涼しく快適ですが、冬は寒いのです。

一日中家で過ごす時は、薪ストーブに火を入れます。揺らめく赤い炎は、目を楽しませてくれ、薪の燃える香りは心を和ませてくれます。私の体だけでなく、心までもじんわりと暖めてくれるのです。薪から出る煙は虫を寄せつけないので、家の梁や柱が長持ちするそうです。私は、梅雨の洗濯物が乾かない時には、ダニ防止も兼ねて薪ストーブに火を入れています。灰は畑にまくと、野菜や花の肥料にもなってくれます。

夕方になると、二つの薪ストーブの中に残った、赤く熱された熾火《おきび》を風呂釜の下に移します。薪で風呂を焚くとお湯の質が柔らかくなり、それに浸かると、骨の髄まで温まり、いつまでも体がポカポカ。湯に浸かっていると風呂釜の下で燃えている火のパワーがじわーっと感じられるのです。これこそ、私にとっての冬の最高の贅沢。

イギリスは空気が乾燥しているので、日本のように頻繁に風呂に入る習慣がありません。風呂に入りすぎると体表を被う脂が取れて、風邪をひきやすくなるとイギリス人は考えているようです。イギリスの一般庶民が温かい風呂に入る習慣を持つようになったのは、一八世紀末以降のこと。それまでは年一回だけでした。大きな木製の桶を屋外に置き、それにお湯を張り、下着を着けたままで入ったとのことです。まず主人と奥さんが一緒に。次に子供、そして、最後に下男下女が入りました。五月か六月の暖かい日に風呂に入って体をきれいにして結婚式にのぞんだので、ジューンブライトという言葉が生まれたそうです。

やがて、金属製のバスタブを室内で使うようになりましたが、それは腰だけが入る小さなものだったので、足は外に出したまま浸かったそうです。イギリスから我が家に遊びにきた友人には、薪風呂をセルフサービスで沸かしてもらい、温まってもらいます。彼らは一流ホテルのバスルームより我が家の薪風呂が一番だと言ってくれます。

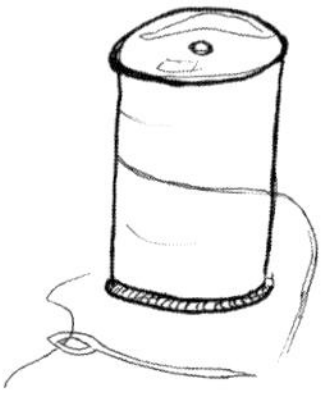

下町の修理屋さん

アンティークのブラザーミシンは、私の宝物。冬の間は庭仕事があまりないので、ミシンに向かう時間が長くなります。ミシンの横には大きな袋が置いてあり、その中には、ほころびた服、膝の擦り切れたズボン、ボタンがとれたブラウスなど、手直しを待つ衣服が詰まっています。冬の午後の空いた時間、衣服を取り出して、私はせっせとミシンを回します。

家中のカーテンやテーブルクロス、座布団カバーを作ってくれたのもこのミシンです。保温材の入った裏地を、アメリカからオーダーして取り寄せてカーテンに当てたので、冬の間隙間風が多い我が家が暖かくなりました。このミシンは、夫の正が私と結婚する前に探し当てたものです。彼は自分の登山用品を繕うために、分厚い生地でも縫えるミシンを探しており、登山用品店を通じてあるミシン屋さんを紹介してもらったのでした。

このブラザーミシンは、昭和中期に作られた職業用足踏み式ミシンのペダル部分を外して、小型モーターを取り付けた改造ミシンです。「ブラザーミシン」は、一九〇八年に「安井ミシン商会」として創業したとのことですから、もう一〇〇年以上も経つ歴史のある会社です。私は柔らかなデザインと黒光りする鋳物のボディがとても気に入っています。

ある日、そのミシンの調子が悪くなったので、買ったお店へ修理に出してほしいと正に頼みました。ところが、正はそのお店をなかなか見付けることができません。不思議に思って、正は店があった辺りの家の人に尋ねてみました。「あー、あのミシン屋さんね。ご主人が亡くなったそうで、たしか店を閉めはった……」。がっかりして正は家に帰ってきました。

　そんなある日、「ミシンの無料出張点検サービスをします」というセールスの電話が突然かかってきました。翌日来てくれた電話の女性は、私のミシンをきちんと見もせずに「修理に三万円はかかるでしょう。それより、この新しい機種を買う方がお得ですよ！」と言ってカタログを取り出しました。コンピューターを内蔵した新機種は、多機能かもしれませんが、私はどうも苦手です。何より、私は今使っているミシンが気に入っているので、お断りしました。

　しばらくして、私のミシンを修理してくれる店をやっと見付けることができました。京阪七条駅近く伏見街道沿いにある「奥村ミシン商会」は、下町の小さな町工場といった趣でした。一〇畳ほどの店内には、工業用ミシンや修理用道具が並び、ミシン油の匂いが漂っていました。西村建作《にしむらけんさく》さんと渋谷育三《しぶやいくぞう》さんが営むこのお店は、祖父奥村弥太郎《おくむらやたろう》さんが大正一〇年頃に始めたものです。弥太郎さんには三人の息子さんと三人の娘さんがいました。息子さんは三人ともミシンの整備や修理を学びましたが、残念なことに三人とも第二次大戦で亡くなったそうです。奥村ミシン商会の跡継ぎがいなくなるところでしたが、長女であるしなさんの夫、渋谷清一さんが、会社勤めを辞めて家業を引き継ぐことになりました。そして今は、二人の間にできた長男の渋谷育三さんと、長女の政江さんの夫、西村健作さんが共に奥村ミシン商会を支えています。こうして奥村ミシン商会は二人の後継者に繋ぐことができました。

　世界で初めてミシンが発明されたのは、一七九〇年のこと。発明者は、イギリスのトーマス・セントでした。ところが、一般の人々に普及するようになったのは、それから半世紀ほど経ってからのことです。アメリカでは一八五六年にアイザック・シンガー氏が、家庭用タイプの小さく軽い足踏み式ミシンを開発しました。アメリカのシンガーミシンは、その頃普及していたドイツ製ミシンを買い取って廃棄し、どんどん市場を拡大しました。日本でも戦前は、ドイツ製ミシンが普及していましたが、戦後はアメリカのミシンが主流になっていったそうです。

　奥村ミシン商会は、ドイツ製ミシンの修理技術しか取得していなかったため、ドイツ製ミシンが消えてしまった時は、戸惑ったそうです。それでも、日本製のブラザーミシンやアメリカ製のシンガーミシンでも修理ができるよう、技術を磨かれたそうです。

　奥村ミシン商会の仕事の多くは、工業用ミシンの出張修理です。でも、私はミシンの調子が悪くなるとお店へ持っていくのですが、育三さんと建作さんはすぐに修理してくれます。

「この仕事の一番のやりがいは何ですか？」

「私たちの仕事はものを作るのでなく、壊れたミシンを直すこと。修理して使えるようになったミシンを喜ぶお客さんの顔を見るとやりがいを感じますね！」

　建作さんは笑顔で答えてくれました。私は、奥村ミシン商会が修理してくれる限り、今のブラザーミシンをいつまでも大切に使い続けたいと思っています。

Waste not, want not. A stitch in time saves nine.

無駄にしなければ、不足もない。
今日の一針は、ほころびてから縫う九針分の手間を省いてくれる。

身近な自然からもらう色

心を開くと、ありふれた毎日の生活の中でも様々な発見や感動があると思います。私たちは忙しさのあまり、ついつい目の前のことにも気付かず、遠くばかりを見てしまうことがよくあるものです。先日、近所で草木染めと織りの大原工房を営む上田寿一《うえだじゅいち》さんに、草木染めの体験をさせてもらい、新たな発見がありました。

清々しい秋空の広がる午後、私は大原工房を訪ねました。玄関わきには染色に使う乾燥させた草木や、玉ねぎの皮などが置かれていました。不思議な匂いの漂う作業室を覗くと、植物を煮出している大鍋が竈《かまど》にかけられていました。淡い色に染められた糸の束が並ぶ玄関を通って、奥の部屋に案内されました。草木染めのセーターや手織りのスカーフ、シルクのショールなどが、しっとりとした色合いで並んでいます。工房の窓からは大原の田園風景が広がり、その向こうに比叡山の山並が見渡せました。

染色を教えてくれる寿一さんが、日焼けしたニコニコ顔で現れました。工房のすぐ近くにある藍《あい》畑へ行く途中、寿一さんは、土手の草むらから赤茶色の根をした、一見どこにでもあるような雑草を引き抜きました。その草はピンクや赤の染料になる茜《あかね》だそうです。日本に来て間もない頃、私は東寺のフリーマーケットで真っ赤な長襦袢《ながじゅばん》を見つけ、その美しさに感動したことを覚えています。今、茜が自分の住んでいるこんな近くに自生していると知って、再び感動しました。大原には茜が多いそうです。

それから寿一さんは、畑で藍の葉を数枚摘みました。藍は一年草なので毎年植えなければなりませんが、年に三回収穫できるそうです。工房に戻ると寿一さんの指導のもと、白いハンカチの上に摘みたての藍の葉を並べました。それから、木槌で叩いて藍の汁をハンカチに出します。そのハンカチを水でよく洗うと、可愛らしい葉っぱの形が藍色に染まっていました。藍の汁が空気に触れて酸化することで藍色に発色するということです。

次は、乾燥させた藍に水を入れて発酵させて作った溶液で、ブラウスを染めます。藍の溶液に浸し、絞り、水で洗うという作業を繰り返します。寿一さんは不慣れで不器用な私の動きを、冗談を言ってからかいます。我が家の庭にも染色に使えるハーブがあります。コンフリー、キンセンカ、タンジーは黄色に、パセリは緑色、ホップは茶色、アロエは薄紫色に染まります。いつか私も庭のハーブで、草木染めを試してみたいと思っています。だんだんと白いブラウスの生地は、美しい藍色に変化していきました。「染色はマジックでしょう」と言う寿一さんの言葉に私も同感！

もともと寿一さんは農業をやり、染めと織りは奥さんの和子《かずこ》さんの仕事だったそうです。和子さんが織りで忙しくなったので、染めが寿一さんの担当になりました。ご夫婦は劇団で知り合ったそうで、はっきりと分かりやすい寿一さんの話し方は演劇で身に付いたのでしょう。

もともと染めの目的は色を楽しむだけではなく、生活の必要性から生じたとのこと。インドやタイのお坊さんの黄色い僧衣を染めるウコンや、茜は殺菌作用があります。農夫はよく藍染めの衣服や脚絆《きやはん》を身に着けていますが、それは藍には防虫効果があるからとのことです。草木染めには、赤、黄、青、茶の四つの基本色があるそうです。赤色は茜の根、黄色は玉ねぎの皮やよもぎの葉、青色は藍の葉、茶色は椿や杉、桜の木で染色します。春から秋にかけての暖かく日が長い時は、草花に元気があるので染色に花や葉を使います。冬の間は、春に備えて木の幹や枝が内側にパワーを溜め込んでいるので、樹木を使うということです。

寿一さんは遠くの植物を手に入れるのではなく、自分の周りの身近な自然から染めに使う草木を探すそうです。そして植物を切る時は、来年や再来年も使わせてもらうことを考えて切るそうです。ある日、寿一さんが木の枝を切った翌日に、たまたまその枝を見る機会がありました。切り口からは樹液がたくさん流れていました。「人間が切られたら、血が流れます。植物を切る時も、そこまで考えなくてはいけないな」とそれから思うようになったそうです。

今は糸を採るために畑で綿を育て、糸を紡ぎ、染めて、織る全工程を手作業でやっているということです。彼の言った次の言葉がとても印象的でした。

「草木染めは、いろんな自然素材を使うので、偶然に素晴らしい色が出て驚かされることがあります。化学染料では決まった色にしか染まりません。私の仕事は草木染めの美しさを再発見し、それを皆と分かち合うことだと思っています」

Dyeing is like magic.
Each plant is given a special gift.

染色のマジック。
どの草花も、それぞれ特別な力を与えられている。

モザイクで作った井戸の壁

ある日、家の前で草むしりをしていると、「ベニシアさん！」と声をかけられました。振り向くと、造形作家の外村《とのむら》まゆみさんでした。私はスペインのパティオ風に改造しようと計画している裏庭に、彼女を案内しました。裏庭の真ん中には、コンクリートの壁で囲われた井戸があります。「この壁に割れた陶磁器のかけらを使って、モザイクを作ろうと思っているの」と私が言うと、まゆみさんはモザイク作りのコツを教えてくれました。

私は五歳の時、約一年間スペインのバルセロナに住んでいました。毎日通った幼稚園へ行く石畳の通りには、スペインの偉大な建築家ガウディーの建物がありました。その壁面を飾るモザイクの美しい色が、幼かった私の脳裏に焼き付いています。また、家では壁に青と白で彩色された絵皿が埋め込まれていたパティオで、いつも昼の二時頃ランチを食べていました。

夏の間、予定よりかなり長い日数をかけて、私は裏庭の井戸のモザイク壁を完成させました。陶磁器の青と白い色は、私にスペインを思い出させてくれます。また、陶磁器のかけらは、それを買った場所やプレゼントしてくれた人の想い出などが詰まっています。数日後、スペイン風になった裏庭とモザイクを、まゆみさんは見にきてくれました。「へたくそなできあがりでしょう?」と私が言うと、「いい味が出てて、素敵じゃない！」とほめてくれました。

まゆみさんは大学で彫刻を学んだ後、北イタリアの都市ラベンナにモザイクを学びにいったそうです。ラベンナは聖堂の天井や壁面をモザイクで描いた有名な教会が多い町。そこでモザイクの古典的な技法を学んだ後、スペインやチュニジアで仕事の経験を積みました。帰国してからは、モザイク画の制作を始め、店舗、個人宅の内装などの仕事をしているそうです。

京都市内の北部にある上賀茂神社に近い閑静な住宅地に、まゆみさんの住まい兼工房があります。玄関をくぐった途端、そこには芸術作品のような空間が広がっていました。吹き抜けの広間の壁には、織物を素材にした作品が貼られています。台所や風呂、トイレは、石やタイルなどの素材を使って彼女が作ったものでした。作業台の上にはモザイクの材料や道具箱、作品のイメージスケッチなどが無造作に置かれていました。拾ってきた古瓦や古家具、石ころなども芸術作品のように部屋にぴったりと納まっていました。まゆみさんは壊されて駐車場になるところだった築七五年のこの家を、まったく新しい居住空間に作り替えたのでした。

「モザイクって西洋のものだと思っていたけど、まゆみさんが作るモザイクの作品は東洋的な感じがするわね」と私が言うと、彼女は「イタリアのモザイクの古典技法に縛られず、その枠を超えて自分を表現したいんです」と微笑みました。まゆみさんの作品は、古くなり見放されてしまったものに手を加え、新たな命を吹き込んでいます。芸術性だけを追い求めた固い印象はなく、女性らしい柔らかさや、生活に結びついた温かさを感じさせてくれます。彼女の家を訪ねてたくさんアイディアをもらい、たっぷりと元気をいただきました。

If we are going to do something, it is worth doing well.

せっかく何かをするなら、丁寧にしたい。

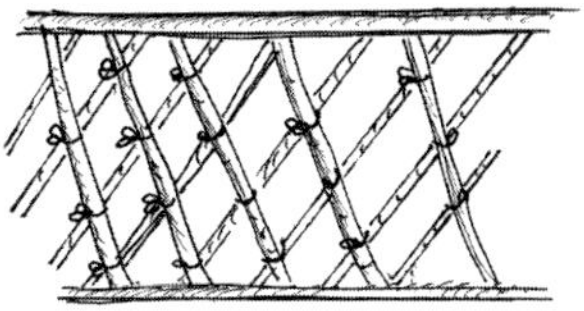

庭は「家庭」に欠かせない

「マークと桃子《ももこ》は今日畑に来るかしら？」。晴れた日曜日はいつもそう思います。私の家の近所に、二人は共同農園を借り、毎週、野菜の世話をしに大原へやってくるのです。私の息子は彼らの長男の樺衣《かい》君と、畑の裏の土手や空き地で遊ぶのを楽しみにしています。マークファミリーは、私にとって家族のような存在です。

マークとは、今から一四年前に京都で知り合いました。その頃私は、京都大学の近くにあった自宅で英会話学校を営んでいました。私の寝室の外には、小さな庭がありました。マークは、当時日本庭園を勉強していたイギリス人のコリンと一緒に、そこに美しい坪庭を作ってくれました。緑が少ない街中の生活に疲れていた私に、その坪庭は何かほっとするものを与えてくれたのです。「昔の日本の家は、障子を開け放てば、部屋と庭が繋がるようになっていたんですよ。その庭で自然を感じ、安らぎを得ることができたのですね。日本語で家庭は、家と庭と漢字で書くように、昔の日本人は家と庭は切り離せないものだと考えていたのでしょう」とマークは話してくれました。

一九八五年、マークは京都大学農学部林学科造園研究室に客員研修員として来日しました。アメリカの大学を卒業した後、数年間造園設計事務所で働いた彼は、再び大学で勉強したいと思いました。シンプルで美しいデザイン感覚を持つスカンジナビアの国か、庭園文化が発展した日本のどちらで勉強するか迷いました。結局、食べ物、言葉、習慣など、まったく母国の文化と異なる日本の方が、より興味深く感じられたそうです。彼の仕事はランドスケープ・アーキテクト（造園建築家）ですが、かつて日本で庭師修業もしたので現場仕事にも通じています。竹垣根（細い竹や割った竹を編んで作る垣根）や版築塀《はんちくべい》（型枠に入れた土を叩いて固めて作る土塀）などの伝統的な手法に、新しいデザインを加え彼独自のものを作り上げています。

京都には、古い建築物や庭園が数多く残っており、様々な伝統文化も生きています。そんな京都に惹かれ、この街に長年住むようになった外国人は少くありません。その中には、日本の文化を深く研究し、それを海外に紹介している人もいます。マークもそのような文化の架け橋となっているひとりです。

マークは平安時代に書かれた庭園論『作庭記』を英訳し、二〇〇一年に『Sakuteiki: Visions of the Japanese Garden』を出版しました。一九九六年に出版した『Japanese Garden Design』は、日本の庭園文化について書かれた英語の文献の中で最も詳しいものとして、世界中で読まれています。また、彼が書いた京都の庭園についての随筆集『石をたてん事』（セルデン恭子翻訳）は日本語で出版されています。

「日本の庭園文化は、世界で最も歴史が長く発展したもの。日本人は新しいものを追い求める中で、独自の美の感覚を失わないようにしなくては……」とマークは警鐘を鳴らします。

Instead of seeking new landscapes, develop new eyes.

新しい土地を求めるのではなく、
新しい見方を発見して。

~sitting on a bank of wild flowers in
in front of our house gazing at Ohara valley . . . . . .

表具師さんの「ごみの山」は宝の山

我が家の襖には、野の花と山水が描かれています。築約一〇〇年の家なので、襖の絵もおそらく同じくらい古いものと思われます。襖の絵がかなり傷んでいるので、表具師さんに修復をお願いすることにしました。表具師とは、掛け軸や襖、屏風を制作したり、修復する職人さんのことです。布や和紙を糊で幾重にも張り合わせ、加湿と乾燥を繰り返して表具を作り上げる技術は、仏教の伝来とともに中国から伝わったということです。

大原にある時代屏風専門の表具師、藤井《ふじい》山次《さんじ》さんの工房を訪ねてみました。工房の玄関をくぐると古い屏風や帯などが、所狭しと山積みされていました。私にとって珍しいものばかりだったので、きょろきょろと見回していました。そんな私を見て、笑いながら山次さんは作業の手を休めて説明してくれました。

「おふくろがここに入ってくると『ごみを片付けなさい！』とよく言うんですよ。でも、ここにあるものは僕にとって全て宝物。貴重な材料なんですよ。新しい紙や布は時代屏風に合わないから、古美術のオークションで買ってきてストックするようにしているんです」。工房の作業台の上には、修復中の屏風が寝かされており、そのわきに糊の乾燥を待つ大きな金屏風が立てかけられていました。目の前のたくさんの屏風について尋ねると、「制作、修復後は、パリ、ロンドン、ニューヨーク行き」と外国の地名ばかりが返ってきました。「僕のお客さんはほとんどが外国の方なんですよ。日本では、古いものに興味がある人が比較的少ないのでしょうかね。今の日本の住宅事情なども関係しているとは思いますが……」。ちょっと残念そうな顔をして、山次さんは言いました。

骨董的価値がありそうな、伝統的な古い家具が、大型ごみに出されているのをしばしば目にします。私が日本に来て驚いたことのひとつです。家や家具は代々受け継がれ、古いものを好み大切に保存するイギリスでは決してありえないことです。確かに日本とイギリスでは、生活様式や家の賃貸の仕方も異なります。イギリスでは家やアパートを借りる時は、室内の家具もセットになっているので、新しい家具を買う必要があまりないのです。

日本では一般的に、結婚する時、嫁入り道具として、家具や寝具を新調する方が多いのではないかと思います。イギリスの場合は、花嫁の母親が新婚家庭に必要なもののリストを作ります。母親はそのリストを親戚や新婚夫婦の親しい友人に見せて、お祝いとして何をいただけるのか決めてもらいます。それは新しいものである必要はなく、例えば、家に余分にあるものやアンティークショップで探してきたものでもいいのです。そういうわけで、イギリスの多くの新婚家庭は、数百年経つ古いものを何かしら持っています。近頃、都市部に住む家庭の母親は、新調するべきものと古いもので揃える二つのリストを作るようです。そして、新調するリストはデパートが預かり、店が母親の仕事の一部を代行するシステムも出てきたようです。

山次さんは一九八三年、三〇歳の時に表具師の修業を始めました。通常一〇年といわれている修業期間を三年にして、独立したそうです。西陣で生まれ育ち、実家は西陣織の仕事をしていましたが、山次さんは表具に興味を持ち、この仕事を選んだのです。

独立してしばらくの間は、顧客を見付けるのが難しかったそうです。日本家屋や伝統的な生活様式の減少により、表具師の仕事は近年減っているそうです。山次さんは、表具に使う古い材料を探しに古美術のオークションに通ううちに、外国人のコレクターや美術商と知り合うようになりました。特に英語に自信があったわけではなかったそうです。彼らと付き合ううちに外国人から仕事が入るようになり、結局今の仕事のほとんどが外国からの仕事になっていったそうです。アメリカの青年が二年間、山次さんのもとで修業したこともありました。山次さんにとっては、英語の修業になったということです。

ゴッホやゴーギャンなどの印象派の画家に大きな影響を与えた日本の浮世絵の多くが、ヨーロッパやアメリカに流出してしまったと聞きます。私の母の実家の壁面にも、オリジナルの浮世絵が飾られています。浮世絵だけでなく、今も日本の伝統的な美術品や工芸品が海外に渡り続けているようです。山次さんの工房を見て、身近なところにある伝統的な古いものの良さに、改めて気付かされました。

四〇〇年の伝統文化を我が家の襖に

我が家の客間の襖が傷んでいました。襖の前に座って、どんな襖紙を張ろうかと思いを巡らせていると、突然、千田堅吉《せんだけんきち》さんと郁子《いくこ》さんの顔が浮かんできました。お二人が、襖や屏風に張る唐紙《からかみ》を作っていたことを思い出したのです。

一九九〇年頃、私は京都の百万遍《ひゃくまんべん》の近くにある「梁山泊《りょうざんぱく》」という料理屋さんに、英会話を教えに行っていました。参加者は、梁山泊主人の橋本夫妻とアンティークショップ主人の田澤《たざわ》夫妻、それに京唐紙の工房「唐長《からちょう》」を営む千田夫妻でした。個性的な六人との週に一度の集まりは刺激的でした。千田夫妻は「海外の人に京唐紙を見てもらいたい」という強い想いがありました。それは後に実現し、ロンドン、ニューヨーク、パリ、ブリュッセルなどで唐紙の展示会を開いたそうです。約一年間続けた英会話教室が、少しはお役に立ったのであれば嬉しいのですが……。

千田さん夫妻が営む唐長は、比叡山の麓、修学院の傍にあります。初めてそこを訪ねた私は、襖、壁、天井とあらゆるところに繊細な色と斬新なデザインの唐紙が張られているのを見て、その美しさに目を奪われました。郁子さんは二階の工房に私を案内し、唐紙作りの工程を説明してくれました。作業台の周りには朴《ほお》の木で作られた版木《はんぎ》や篩《ふるい》、棚には泥絵具となる顔料の入った瓶や乳鉢、それに数々の和紙の束がきちんと並べられていました。版木は全部で約六五〇種類あり、その半分が二〇〇年以上前に作られたものだそうです。私の目に実に現代的で斬新に映ったそのデザインは、江戸時代から伝わるものでした。

「唐紙とは襖紙のことだと誤解する人が多いんやけど、唐紙とは元来、中国より輸入した美術紙の総称なんですよ」と堅吉さんは教えてくれました。もともと唐紙は、唐王朝の時代（六一八〜九〇七年）に、遣唐使により唐から伝えられた料紙（文字を書くための紙）でした。そのうち輸入品だけでは需要に追いつかなくなり、日本国内で唐紙が作られるようになります。その頃、貴族の住まいでは、襖が作られるようになり、それに紙が張られるようになりました。それは、料紙ではなく、初めから襖に張ることを目的に作られたデザインのある唐紙でした。

「イギリスのヴィクトリア時代のデザイナー、ウィリアム・モリスのデザインに何だか似ていますね」と私が言うと、堅吉さんは笑いながら、こう説明してくれました。明治維新の頃、初代駐日英国公使オールコック氏や二代目公使パークス氏は、日本の文化をイギリスの美術館や博物館に展示して紹介するため、美術品を集めていました。唐紙もたくさんイギリスに送ったそうです。ある時堅吉さんは、ロンドンの「ヴィクトリア&アルバート博物館」に所蔵されている唐紙の図録を見る機会がありました。驚いたことに、そこにある唐紙の図柄は全て、千田さんの工房にある唐長の版木の図柄だったそうです。この古美術や工芸品の膨大なコレクションを誇る博物館には、今でも唐紙とウィリアム・モリスの作品が並んで展示されているということです。きっとウィリアム・モリスは唐紙のデザインの影響を受けたのでしょう。

唐長の唐紙を見ていると、私はその落ち着いた魅力にどんどん惹かれていきました。と同時に、「私には手が出せないくらい高価なものなのでは……？」と不安になってきました。実は、唐長の唐紙についてまったく知識を持たずに唐長の門をくぐった私でしたから。そんな私の思いが顔に出ていたのか、郁子さんが優しく話しかけてくれました。

「人の一生で一番大きな買い物は、家ですよね。今の日本では、一般的に住宅メーカーによってはじめから構造が決められている家を購入することが常になっているでしょう。そして、どうやってそのローンを支払うべきか、また、その住宅が完璧な状態となって引き渡されるのはいつなのか、ということばかりにとらわれているでしょう？　自分が想い描く部屋の色やデザインなど、好みを主張できる余地が少なくなってきているように感じます。でも、家ほど一生で大切な買い物はないのに……私とベニシアさんが似ているのは、自分の趣味をゆっくりと考えて、自分の気に入った家に作り上げていきたいという願いが強くあることね。家を購入したらそれが終わりではなくて、少しずつ家に手を加えながら、家に対する想いを強めていく……。例えば、この部屋の襖の絵柄が合わないと思えば、自分の気に入った絵柄に張り替えていく。そうやって生活を楽しみ続ける提案を私たちはさせていただきたいと思っているんですよ」。彼女の話を聞いて、何だか私は元気が出てきました。

寛永元年（一六二四年）創業の唐長は、堅吉さんで一一代目になります。江戸時代には京都に一三軒あった京唐紙の伝統を継ぐ店は、今では全国で唐長だけだそうです。大学で化学を勉強し、商社に入った堅吉さんは、唐長を継ぐことをまったく考えていませんでした。機械による大量生産の安い襖紙に押され、江戸時代からの作り方を続ける唐紙業界は下降線を辿っていました。「おやじは仕事に意欲を失い辛そうでした。おやじの家に行くと暗いのです」。その暗い雰囲気を変えてやろうと思い、堅吉さんは五年間勤めた会社を辞めました。「唐紙の良さを世の中に知らしめたい」という堅吉さんと郁子さんの熱い想いと努力が、三三年を過ぎた今、日本だけでなく世界に唐長の名を広めているようです。

高度経済成長の時代を経てバブル経済がはじけたひと昔前まで、唐長のような伝統工芸は衰退する方向にあったのではないでしょうか。私たちは、新しいものや便利なものばかりを追いかけていたのではないかと思います。物質的な豊かさを優先する時代は、もう過ぎつつあるように感じます。伝統文化を背負っている唐長の千田さん夫妻は、今の時代にやるべきこと、次の世代に伝えていくこと、また世界に伝えることなどを強く意識して、伝統工芸を通して活動しているのだと思いました。

堅吉さんと郁子さんは寝る前に必ず、お茶を飲みながら夢を語るそうです。「大きな夢ではなく、手が届きそうな夢、憧れです。それが叶うと次の小さな憧れ。その積み重ねです」。

すたれつつあった四〇〇年の伝統文化を支え、盛り返したのは、寝る前の二人のお茶の時間だったのかもしれないなと私は思いました。

アートに生まれ変わる食器や家具

長女のサチアが一歳の誕生日をむかえる前に、次の子の命が私のお腹で育っていました。日本に来て三年目で、英会話教師の仕事に追われる忙しい日々。子育てや家事に追われ、慣れない異国での生活に疲れを感じていました。そして、イギリスを出国して以来、初めてホームシックになりました。二人目の子はイギリスで産みたかったので、思い切って家族三人で、渡英することにしました。しかし、母は私が日本に住み、日本人と結婚したことに対して心を許していなかったので、帰国しても私が帰る家はありませんでした。

小さなサチアと夫と私は、ウェールズ地方の山間で農業をしている友人の家を訪ねてみました。「好きなだけ滞在してくれていいよ。でも、私たちの家は狭いので、空いているジプシー・キャラバンカー（キャンピングカー）を使ってね」と友人は言いました。さっそく私たちは、農場の片隅に置いてあるキャラバンカーを見にいきました。そして、中を覗いて私はびっくり。スカーレット・レッド、ダークエメラルドグリーン、原色のブルーやイエローが目に飛び込んできたのです。ベッド、椅子、テーブル、窓枠……そこにある全ての家具や内装品に彩色され、渦巻きや、つる草模様、デージー、ポピー、矢車草などの野の花が描かれていました。私はその鮮やかな絵にすっかり魅了されてしまい、その小さな仮住まいでしばらく暮らすことにしました。山のさわやかな空気と私たちを囲む鮮やかな色彩が、「これからどうやって生きていこう」と不安な気持ちを抱えた私たちを元気にしてくれたのでした。

それから三ヶ月後にはロンドンの病院に移り、そこで次女のジュリーを無事に出産しました。その後は、ロンドンの北部で仕事を見付けて暮らしていましたが、一年後に夫の母親が病気になったとの知らせを受け、私たち家族は帰国することになりました。

そんな出来事から、三〇年以上の月日が流れ、私が大原へ引っ越してきた直後のことです。私の友人がトール・ペインティング作家の山本裕子《やまもとひろこ》さんを紹介してくれました。裕子さんは京都市左京区一乗寺にトール・ペインティングのアトリエと教室を開いているとのことでした。彼女の絵を見せてもらうなり、私は驚きました。昔ジプシー・キャラバンカーの中で囲まれた、あの想い出の絵とすごく似た絵を彼女は描いていたのです。

トール・ペインティングは、一九八〇年代にアメリカから日本に伝わったそうです。しかし、もともとはヨーロッパ各地で昔から描かれていたフォークアートが、ヨーロッパの移民によってアメリカに伝わり、トール・ペインティングという名で広まりました。トールという単語はブリキなどの薄い金属板という意味のフランス語ですが、今では意味が広がり、絵と技法を指す単語にもなっています。

オランダには、ヒンデローペン技法とアッセンデルフト技法の二種類のトール・ペインティング技法があります。ヒンデローペン技法を使った絵は、左右対称となる構図が多く、また、ベースの絵を描いた後に、光と陰の部分を上から描き足すそうです。一方、アッセンデルフト技法は、チョークで描いた下絵を頼りに、一筆で彩色します。一筆で彩色することが重要とされており、上から色を足すことはしません。それで、かなりの熟練が必要とされるそうです。一九九九年に、裕子さんは、このアッセンデルフト技法を学ぶ機会を得ました。

オランダではヒンデローペン技法が主流で、アッセンデルフト技法はトール・ペインティングの歴史から消えかけた時期があったそうです。しかし、アッセンデルフト技法の継承者、ジャック・ザウデマ氏により復活し、今では彼の弟子であるシルビア・ヘルダーブロム・カウタースさんが、普及に情熱を注いでいるそうです。裕子さんはシルビアさんが来日した時に彼女から直接習いました。その後、裕子さんはオランダへ足を運び、プライベートレッスンを受け、五年かけてその技法を習得したそうです。「私は花でいっぱいの華やかなシルビアの技法が好きなの。侘《わび》・寂《さび》といった日本の文化で育った反動なのかもしれませんね」と笑いました。

トール・ペインティングの魅力は、身近に日常生活で使われる、ごく素朴な食器や家具などが、アートとして生まれ変わることだと思います。芸術だけれども鑑賞するだけではなく、私たちの生活に溶け込んで暮らしを豊かにしてくれます。私は子供のおもちゃ箱と椅子の装飾を裕子さんにお願いしました。「私にとって花を描くことは、好きな花を活けることと同じなんですよ」と語る裕子さん。数日後、簡素な大原の我が家に、彼女が描いた花が鮮やかに咲いてくれました。

人に教えることは、新しい目を与えること。

The Folk Art chair

唐長の瓢箪模様の版木と、その版木で摺った我が家の襖

BROTHER
Dried Tansy

愛用のブラザーミシンと、茶箱に保存している薬草風呂用に乾燥させたハーブ

第二章

出会いの場、集いの場

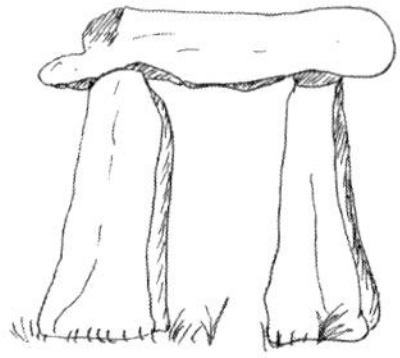

大原朝市とカントリーマーケット

日曜日の朝、私は大原朝市によく出かけます。そこには大原と隣村の静原、八瀬で作られた新鮮な野菜や手作りの鯖寿司、赤飯、豆腐、漬け物、お惣菜、パン、ケーキなどを売る店が並びます。

朝市には、スーパーやコンビニでの買い物と違う楽しみがあります。作った人が自分でお店を出しているので、買い手は生産者の顔を見ることができます。生産者の笑顔を見るのは、何より嬉しいことですし、安心感があります。また、朝市の会場で出会う人々との会話も楽しみです。そこで偶然、知り合いと数年ぶりに出会ったり、大原の地元の情報を交換したり。売っている食べ物や雑貨から手作りの愛情が感じられ、ほのぼのとした気持ちになります。

また、大原の朝市の雰囲気は、ヨーロッパの各地で過ごした幼少時代が思い出され、懐かしい気持ちになります。イギリスではどんなに小さな町でも、毎週、大原朝市のような市がたちます。農作物や農家のおかみさんの手作りのジャム、ケーキ、チーズ等が並びます。日本の市と違う点は、イギリスでは必ずアンティークショップが並ぶことです。そこには、古いティーカップや銀食器、絵画などの掘り出し物を探しだす楽しみがあります。

ヨーロッパでは、ローマ帝国以前、ケルト民族が支配していた時代に、大原朝市のようなカントリーマーケットが始まったようです。ケルト民族とは、もともと中央アジアの草原地帯に住んでいた遊牧民族です。おそらく青銅器時代（紀元前三〇〇〇～紀元前一六〇〇年頃）にヨーロッパに渡来し、先住民を征服していったと考えられています。ケルト民族は、当時ヨーロッパ先住民が知らなかった鉄器を作ることができたので、戦争に強かったのです。ヨーロッパに落ち着いたケルト民族は、森を開墾し、メソポタミアから伝わった麦を育て、農業や牧畜を始めるようになりました。

ケルト民族は作物の植え付けや収穫の時期を知る必要性から、日時計の役割をするストーンサークルを石で作りました。巨石信仰により、様々な形態の石の建造物も造りました。そのような場所は、農民たちのミーティングの場所であり、祭礼や物々交換の場でもありました。それが発展してカントリーマーケットになったということです。大原朝市はストーンサークルではなく、製材所の跡で開かれます。私はそのローカルな感じが気に入っています。

日本の伝統的な食事、つまり、ごはんを主食に野菜や豆、海藻類の惣菜、魚、豆腐、味噌汁などを中心とする和食は、おそらく世界で最も栄養のバランスのとれた食事だと思います。私の父は四二歳の時、心臓発作で亡くなりました。それがきっかけで私は、食べ物に気を使うようになりました。肉を多く食べる欧米では、極端な菜食主義の人が増えているようです。乳製品もとらない人や、無精卵なら食べる人など、菜食主義にも様々な考え方があるようです。実際私も一四年間、玄米菜食を続けていましたが、今はまた、魚や肉も食べるようになりました。

玄米菜食を修行のように無理にしていたと感じたからで、今は食べたいものをおいしくいただきたいと思っています。

うちの近所のお年寄りは元気な人が多いです。バランスのとれた食事と田舎の新鮮な空気、それに体を使う生活のおかげでしょう。近所のおばあちゃんたちは八〇歳を過ぎる高齢にもかかわらず、畦の草刈りや畑の手入れをしています。イギリスでは趣味でガーデニングをするお年寄りはたくさんいますが、野菜作りなどの農作業をするほど元気なお年寄りはなかなかいません。大原のおばあちゃんたちから人生の知恵や昔の話などを聞いてみたいと思います。

私もそんな大原のおばあちゃんのように、年を重ねていっても健康を保ち続けたいと思います。私の四人の子供のうち、ようやく三人が手を離れました。これまでは、子供たちの教育や生活のために忙しく働いてきましたが、これからは自分のこともじっくりとやっていきたいと思っています。市場に集う人々の顔を眺めながら、朝市の喫茶コーナーでコーヒーを飲み、そんなことを考えていました。

No man fears what he has seen grow.

成長の過程を見てきたものを
恐れる者はいない。

Vegetables from the Sunday morning market.

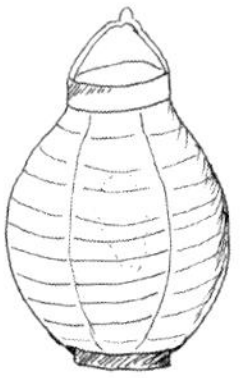

祭りは大人への通過儀礼

澄み渡った青空のもと、稲穂が黄金色に染まり、刈り取りを待っています。畦道には彼岸花が赤く色付き、秋の虫の声が聞こえます。大原の村の奥に、よく手入れされた田口《たぐち》さんの美しい棚田があります。京都北山に囲まれた大原盆地と雄大な比良山地が、そこから遠望できます。時々私は、ここへ孫の浄《じょう》を連れて散歩に来ますが、いつも新しい発見があります。冷たい山の水が流れる小川で沢蟹《さわがに》を見つけたり、次々に咲くいろいろな野花を摘んだり。その日、浄が空を指差して興奮しているので見上げると、鷹が大きな翼を広げて旋回していました。

九月一日の夜、私は八朔祭《はっさくまつ》りを見に近くの江文神社《えぶみじんじゃ》へ行きました。江文神社は大原の八つの町の総氏神《うじがみ》で、風、水、火、豊饒と生産の神々が祀られています。平安時代の後期、金毘羅山《こんぴらさん》（昔は江文山《えぶみやま》といわれたそうです）の頂上に祀られていた神々を、御鎮座を願って今の場所に移したのが江文神社の始まりということです。八朔とは八月朔日の略で、旧暦の八月一日のことです。この頃に稲穂が実るので、収穫前に豊穣を神にお祈りするために、いつの頃からか分かりませんが、八朔祭りが始まったということです。

夜七時頃に、私たち家族は江文神社に向かいました。森に被われた参道は、満月の月明かりが届かず、真っ暗で足元さえもよく見えません。神社に近づくとオレンジ色に光るいくつもの高張提灯《たかはりちょうちん》が見えてきました。美しい藍染めの着物に菅笠《すげがさ》をかぶった男たちの姿が、柔らかな明かりに照らされています。私は、この祭りが始まった時代にタイムスリップしたように感じました。神事を司る白い着物で正装した近所の榎並《えなみ》さんが、小さな浄を抱きかかえて石段を登ってくれました。境内に入ると暗い森を背後に、江文神社が提灯の明かりに淡く浮かび上がっています。夜の森のひんやりとした冷気を通し、静かな歌声が流れてきました。私は、そこに漂う神聖な雰囲気を感じました。やがて、それぞれの村の高張提灯を持った藍染めの着物の男たちで、境内は埋まりました。厳粛な顔をした彼らは各々、社の前へ歩み出て鐘を鳴らし、豊作を祈るのでした。それから、哀調を帯びた不思議なフレーズの道念音頭《どうねんおんど》を口ずさみながら、なだらかな八朔踊りの輪に加わるのです。やがて、女性も踊りの輪に加わりました。八朔踊りは豊作への願いと感謝であるとともに、かつては男女の出会いの場でもあったということです。

ひとりの若者が、私に微笑みかけてくれました。五月四日の江文祭りの時、神輿《みこし》を担いでいた元気のいい谷口嘉昭《たにぐちよしあき》さんだと気付きました。

現代は、様々な伝統的な文化や昔からの習慣がすたれてきているようです。生活様式や社会環境が昔と変わってきているので、変化を止めることは難しいことかもしれませんが、寂しいなと思います。そんな時代において、伝統行事に参加する若者は、貴重な存在だと思います。私は嘉昭さんにそのあたりのことを聞いてみました。

「大原から外に出て暮らすようになって初めて、大原の良さが分かるようになったんです。

一五歳で村の行事に関わり始めた頃は、親や周りから言われて、仕方なく参加していました。私の家は大原に三〇〇年住んでいますし。古くさい行事に関わるより、都会で遊びたいと思っていた時期もありました。でも、都会に出ると参加したくても、そういう場がないんですよ。それが分かってから、僕はラッキーなんだと思うようになりました。祭りは、子供の頃の友人に会えるなど同窓会のような場にもなります。けれども、それだけでなく大原の行事に参加することは、一人前の大人になっていくための、通過儀礼の役割もあると思うんです。二七歳の今、少しずつそう思うようになりました」

さわやかな印象を残して、嘉昭さんは踊りの輪の中に消えて行きました。この八朔祭りの後、大原では稲刈りが始まります。

It takes a village to raise a child.

ひとりの子供が成長するためには、
村ひとつが必要だ。

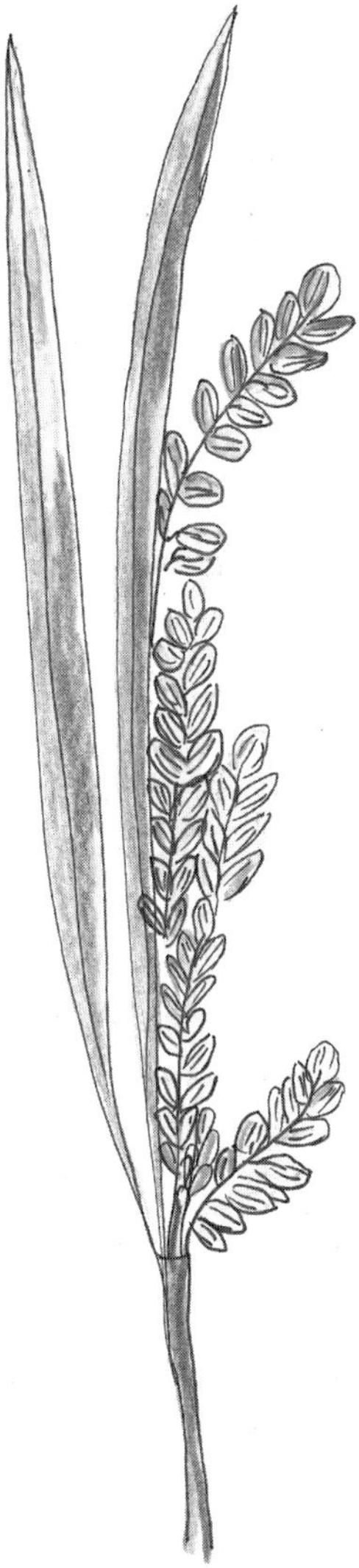

大原じゃがいも教育

今朝、庭の花壇で雑草を抜いていました。すると大きな青虫が出てきて、ポットマリーゴールドの根元をうろちょろしてから、フローレンスフェンネルの葉の下を這っていきました。暖かい季節がやってきたことを私は嬉しく思いました。八歳になった孫の浄《じょう》が、私に話しかけてきました。

「ニーシ、そろそろ出かける頃じゃない？　つくだ農園のじゃがいもが待ってるよ」

「つくだ農園」とは渡辺雄人《わたなべゆうと》さんと民《たみ》さん夫妻が、野菜を作ってみたいと思っている子供や大人たちのために大原で運営している畑の教室のことです。「つくだ」を漢字で書くと「佃」になります。

「お米を作るには人と田の両方が必要です。この漢字はそれを表しています」と前に雄人さんが話していました。今日はじゃがいもを植える日です。

私が住む井出町から畑がある大長瀬《おおながせ》町《ちょう》への道を北へと歩き続け、右に曲がるとスモモの香りが漂ってきました。ひさびさの休日に、私は幸せな気分でした。田畑に囲まれた坂道をさらに登っていくと、たくさんの親子のグループの姿が目に入りました。

「よくいらっしゃいました。来てくれてありがとうね」と民さんに声をかけられました。

「お礼を言うのはこちらですよ。ちょうど今年は、じゃがいもを作ろうと思っていたところだったの。イギリス人はじゃがいもが大好きなんですよ。一日、一食はじゃがいもを食べるのよ」と私は答えました。

「ベニシアさんには、三区画分の畑のオーナーになってもらったから、一日二食分は十分、収穫できると思いますよ」と民さんは笑いました。

私たちは傾斜のきつい土手の道を登りました。土手にはすみれやたんぽぽ、ヒメオドリコソウが一面に咲いています。さわやかな空気の中、目の前に見えるのは空と畑と田んぼだけ。最高の気分です。一番上の畑に辿り着くと、長身で細身の雄人さんが待っていました。まず始めに、参加している皆に雄人さんは、じゃがいもの植え方を教えました。私たちは、教えられた通りに、じゃがいもを半分に切って、それをひとつずつ植えていきます。私は子供たちに、自分が食べる野菜を自分で植えることを体験させたかったので、浄にほとんどの作業を任せることにしました。

渡辺夫妻が大原に住むようになったのは、同志社大学の新しい試みがきっかけでした。二〇〇六年に大原に学外研究施設が開設されることになり、同大学の大学院で芸術文化政策を研究していた雄人さんは、ある日、大学院の恩師に「大原に住んでみないか?」と誘われました。大学の新しい施設と、借り受けた田畑の管理人を探しているということでした。雄人さんは農村地域で農業と関わって生活していくことを即決し、大原に引っ越してきました。そして、子供たちと一緒に遊び場を作る「あそびの達人教室」も併せて開始しました。五月からあそびの達人のスタッフとして参加した民さんは、一〇月には雄人さんと結婚。民さんは大原の地域作りを研究した論文で同志社大学の大学院修士課程の学位を取得したそうです。学外研究施設の管理人の契約期間が終わった現在、渡辺夫妻は「ヴィレッジ・トラスト・つくだ農園」を開設しました。

「農業を通して社会と関わり、一〇年先を見据えて活動を広げていきたいです」と二人は意欲に満ちあふれています。

じゃがいもの植え付けを終えた浄は、誇らしげです。たくさんの家族と一緒にじゃがいもを植える作業は、本当に楽しいものでした。七月の収穫も待ち遠しく、幸せな気分です。私たちは渡辺夫妻に別れを告げて、来た道を下りました。浄は、私を子供の遊び場に引っぱっていきました。「あそびの達人教室」が子供たちのために作ってくれた木製のブランコや小さな小屋で遊びたかったのでした。

じゃがいも作りには、広い土地、日光、水はけのよい肥沃な土壌が必要だそうです。私たちの畑はじゃがいもには最適の場所のようです。農作業をする機会にあまり恵まれない今の時代に、渡辺さんの野菜栽培のワークショップはありがたいものだと思いました。

The earth plays music for those who listen.
One man can make a difference.

私たちが耳を傾ければ、
大地は音楽を奏でてくれる。
ひとりの人間でも、
何かが変えられる。

ネパールで気付いた自分の宝物

先日、我が家に嬉しいお客様がありました。夫の正の幼なじみで陶芸家の中島大輔《なかじまだいすけ》さんです。彼の作品は、デザインに意外性があり、生命感と情熱があふれています。独特の色彩感覚と温かみのある作風はどうやって培われたのだろうと、私はずっと興味を持っていました。

大輔さんは山口県下関市川棚で陶器を焼いています。正とは小学校、高校、大学も同じでした。大学は芸術学部で、正と同じく美術を勉強しました。「梶山は真面目そうに見せるところがあるけど、実は結構ワルガキでさあ。小学校の時はタダシじゃなくてワルシと呼ばれていたんよ」と大輔さん。正は横でニヤニヤ笑っています。

大輔さんは、二〇代の頃、交通事故で右足を複雑骨折したそうです。入院生活を四ヶ月間過ごすうちに、現代美術を続けることに疑問を持ち始めました。そして、退院後に海外へ旅に出ます。若者が「自分とは何か？」を見つけるために、よくインドを旅していた時代です。

大輔さんはインド、ネパール、タイ、ビルマを一一ヶ月間巡り歩きました。同じ頃、正も旅を続けていました。正は美術を勉強することに疑問を抱き、大学を中退していました。旅の途中で、大輔さんと正はネパールやインドで偶然何度か出会ったそうです。大輔さんは旅を続けるうちに、日本での生活ではあまり考えなかったことを意識するようになったと話します。

「ネパールに滞在している時、現地の人の家に招かれて、一緒に食事をさせてもらうことがよくあったんよ。彼らの生活の様子や文化的な行事を見せてもらい、羨ましいと思った。僕は、大家族の生活を知らなかったし、祭りとか法事とか親戚との付き合いもあまり経験がなかったんよね。僕もネパールの人たちみたいに、自分の地域の人や社会、文化に足元から繋がった生活をしたいと思い始めたわけ。すると、日本に帰りたいという気持ちが沸々と湧いてきたんよ」

帰国して、大輔さんはプラスチック立体像形を造る仕事を見付け、制作工程のある一端を担いました。ところが、だんだん仕事が分かってくるようになると、制作工程の全てを自分の手でやりたいと思うようになりました。プラスチックという材料に対して「自分には何か合わない」とも感じ始めたそうです。その仕事を辞めて、サラリーマンを経験した後、次はブロンズ塑像の仕事を始めました。馬の塑像を造ることで著名な作家の助手の仕事です。ある日、錦鯉の塑像を造る仕事が入り、先生は大輔さんにその仕事を任せました。

「でも錦鯉が造れなかったんよね。先生は時間をくれたけど、僕はどうしてもできなかった」。造形の仕事をしたいけれど、一体自分は何を作りたいのかが定まらず、紆余曲折していた大輔さんの様子が想像できます。正にとっても初めて聞く話のようでした。

そんなある日、大輔さんは、大学の先輩から萩焼に関わる仕事をしてみないかと誘われました。それは、三輪窯の三輪《みわ》龍作《りょうさく》先生の作品の制作を手伝うことでした。五メートルにも及ぶ作品をそのまま窯に入れられないので、分解して焼いていたそうです。ところが作品を美術館などに納品する時に、うまく組み立てることができずにいたとのこと。そこで大輔さんは、解決法を見つけました。プラスチック立体像形の仕事で覚えた技術、つまり作品をパーツに分解し、それをプラモデルのように効率良く組み立てる方法を応用することができました。

大輔さんは三輪窯の仕事を始めて約一年経った頃、「陶芸の仕事を絶対一〇年間は続けよう」と決意したそうです。土という素材にも愛着を感じ始め、それをこねて形を作り、釉《うわ》薬を塗って焼くことで作り上げるこの仕事に大輔さんは魅力を感じてきました。そして、「がんばれば、何とか食べていけるのでは……」という思いが、彼に力を与えたようです。三輪窯の仕事を続けながら、仕事が終わった後や休みの日を利用して、自分の陶器をコツコツ作り始めました。そして、三七歳の時に初めて個展を開いたそうです。

「けっこう買ってもらえたんよ。嬉しかった」と、大輔さんは笑いました。

私たちは大輔さんが作ってくれた器に料理やお酒を入れて食卓を囲みました。

「大輔の器に入れると、ほんとワインがうまいわ」と正。愛情をこめて作られた陶器に飲み物を入れたり、料理を盛りつけると、本当においしくいただけます。

大輔さんは、様々な転機を経て、悩み抜いて、やっと陶芸の道に辿り着いたのだと思いました。正からも写真家になるまで寄り道したと聞いていたので、重なる部分が多く興味深く聞きました。大輔さんが旅行中に思った、「ネパールの人たちのように、自分の住む土地の人々や社会、文化に足元から繋がった生活をしたい」という願いは、もう叶っているようです。

禅僧が残した村のログハウス

私の住んでいる村にちょっと変わったログハウスがあります。外壁の下半分は丸太小屋の作りで、上半分は白壁で寺のような火灯窓《かとうまど》が二つ付いています。このログハウスを見るたびに私は、これを作った禅僧宗光《そうこう》さんを思い出すのです。

私が大原に越してきたばかりの夏のある日、村の小さな寺の和尚さんがお茶に呼んでくれました。開け放たれた障子から庭がよく見える座敷に夫と私は案内されました。しっとりとした苔、時間を忘れさせるような庭石、池を叩く水音が心地好い庭でした。落ち着いた手付きで抹茶を入れ静かに語る彼を、私は以前どこかで会ったことがあるように感じました。それは私が一〇代の頃読んだヘルマン・ヘッセの小説『ガラス玉演戯』のある章。主人公が竹林の奥に住む、中国の賢者に会うシーンでした。「この人は職業として僧侶をやっているのではなく、心から求めてその世界に入った、本来の意味でのお坊さんに違いない」。それが私の宗光さんに対する第一印象でした。

彼は寺の向かいの空き地に三年がかりで子供たちのためのログハウス禅道場を作っていました。剃った頭に手ぬぐいを巻き、作務衣を着て、いつもひとりで黙々と働いていました。

「寺は子供たちにとって入りにくいところ。私はここを子供たちが気楽に集まれる場所にしたいのです。大原の豊かな自然の中で遊びながら、御釈迦様のことを知ってもらいたいのです」

やがて秋が去り、冬になって、とうとうログハウス禅道場が完成しました。楢《なら》の木が敷かれた吹き抜けの大広間、美しいキッチンとトイレ、レースのカーテンで仕切られた寝室にもなるロフト。壁にはステンドグラスがはめ込まれ、それら全て彼の手作りと知った時は驚きでした。テレビのニュース番組が取材に来て、村の子供たちが一同ログ禅道場に集まりました。新しい遊び場を得た子供たちは嬉しそうでした。

宗光さんは、登山家という顔も持っていました。昔からお坊さんは修行のため、山に登っています。登山は禅の修行に通じるものがあるのでしょうか。ある晩、私は宗光さんや隣人を自宅に食事に呼んで、山や御釈迦様の話を共にしました。翌朝、お礼を言いにきた彼に私は目が眩みました。朝日が玄関に立つ僧衣姿の彼を包んでいました。逆光の位置にいた私は、彼から強い光が発散されているように見えました。「すごくきれい！」と思わず声に出しました。「これから大徳寺で儀式があるので……」とはにかみながら彼は言いました。そして、八ヶ岳へ行くので数日間留守にするということでした。翌年、ヒマラヤを登山する予定なので、トレーニングに行ったのです。その二日後に、彼は雪と氷が凍り付いた岩壁で帰らぬ人となりました。

室町時代の高僧一休さんと宗光さんが、私の中で重なります。彼らは愛と知恵があり、世に媚びず自分の生き方をまっとうした人でした。一休さんは八八歳まで生きたのに、宗光さんはその約半分。村にログハウスを残したまま此の世を去りました。

In this world, meet everyone with great love.
You never know in what form God comes to you.

生きている間は、
たくさんの愛情を持って人と接したい。
どのような形で神様が、
私たちの前に現れるか分からないから。

ピアノ・パーティー

「この前、作った曲を少し変えたよ！」
ピアノを弾いていた息子の悠仁《ゆうじん》が言いました。数日前に我が家で開いたピアノ・パーティーで、彼はいろいろと刺激を受けたようです。

私が幼い頃、イギリスの祖父が家で音楽会を開いていたことを覚えています。それは特別な音楽家を呼ぶような会ではなく、集まった友人や親戚の中から楽器を弾ける人が、気楽に演奏に参加しました。皆は歌える曲を合唱し、とても楽しいものでした。演奏者と聴く人との距離が短いことや、演奏会に参加する人たちの関係は、音楽を楽しむうえで大切なことのひとつだと思います。

現代はテレビやオーディオプレーヤーのスイッチひとつで、世界中の音楽をいつでもすぐに聞くことができます。でも、機械的に作られた媒体から耳に入ってくる音は、おおむね心まで響いてきません。オーディオプレーヤーから有り余るほどの音楽が流れると、さほど集中して聞かなくなるからかもしれません。昔の方が今より、音楽を耳にする機会は少なかったかもしれませんが、音楽が人々の生活の中に溶け込んでいたように思います。

今日、テレビを一日中つけっ放しにしている家庭が多いと聞きます。ある日、私の英語クラスで、年配の生徒さんにテレビがなかった時代は、何をして過ごしていたのか尋ねてみました。

「夕食後、家族でお茶を飲んで喋ったり……父親は新聞を読むかラジオを聞き、母親は裁縫、そして子供は宿題、読書、楽器の練習など……」

「生活が今よりもゆっくりとしていましたよ」と、皆は口を揃えて言いました。

「今は好きなテレビ番組を見るために忙しくなっているんでしょうね」

さて、我が家で開いたピアノ・パーティーの話に戻しましょう。ワインと持ち寄りのお惣菜でお腹を満たして、夜の八時頃から始まりました。悠仁と友達の石原杏菜《いしはらあんな》ちゃんは待ちきれずに、すでに、ピアノの鍵盤をたたき始めています。

まず、作曲家の宮下和夫《みやしたかずお》さんが自作の曲を披露してくれました。彼は一二年前、作曲のために自然豊かな大原に越してきました。「毎朝、日の出の頃に散歩に出て、頭に浮かんだメロディーを書いているんですよ」と皆に話しました。昨年は朝食前の一時間を二百日あまり、作曲に充てたそうです。

和夫さんの最初の演奏は『ステラの組曲』。ステラは和夫さんの飼い猫の名前です。昨年春に突然姿を消してしまったそうです。結局ステラは戻ってきたのですが、行方不明の一週間、和夫さんはステラのことを想って毎朝曲を作り、それが五つの組曲となりました。次は昨年秋に作られた、大原の朝の曲。霧や雨、あるいは澄んだ秋空をテーマにした曲などが四曲。最後は『ベニシアワルツ、月と星』を私にプレゼントしてくれました。

パーティーの数日前、まだ暗いうちに和夫さんが散歩に出てみると、月と星が煌々《こうこう》と輝いていたそうです。その時この曲ができたということでした。自然の美しさを流れるメロディーで伝えてくれました。大人も子供も彼のマジックにくぎ付けとなりました。

それから、火蓋を切ったように皆の演奏が始まりました。悠仁のピアノの先生で同じ町内に住む池田《いけだ》眞理《まり》さんは鮮やかにショパンのワルツ『Op.69, No.1』を。そして娘さんの理央《りお》ちゃんはフォーレの『シチリアーノ』を弾きました。杏菜ちゃんは、お母さんの文江《ふみえ》さんと一緒にビートルズの懐かしい曲『レット・イット・ビー』を弾きました。ひと月ほど前、大きなホールで開かれた発表会では緊張のあまりミスしてしまった悠仁は、この席では楽しく小林昭宏《こばやしあきひろ》の『透明人間』を弾きました。皆、笑顔いっぱいです。音楽の素晴らしさをたっぷりと満喫した夜となりました。

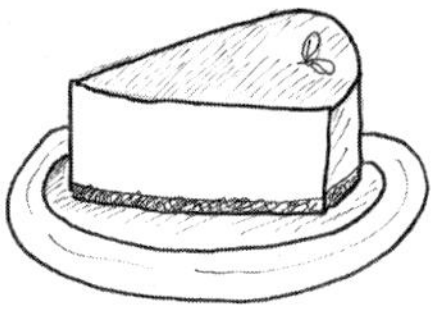

京都のニューヨーク・チーズケーキ

一〇月三一日はハロウィーンの日です。ハロウィーンとは、日本でいえばお盆のような日。キリスト教が伝わる前のイギリスでは、あの世と此の世の境がなくなる日と信じられていました。毎年ハロウィーンになると私は、パンプキン・チーズケーキを買いに、京都の北山通りにあるパパジョンズ・カフェへ行きます。

それは、一九七一年の梅雨のこと。日本に到着して間もない私は、東京・新宿の風月堂という喫茶店でひとりコーヒーを飲んでいました。当時、風月堂は外国人旅行者の情報交換の場として広く知られていました。鹿児島港に船で着いて間もない私が知っていた日本の旅情報は「東京・風月堂」だけでした。この二つの単語だけを頼りに、鹿児島港からヒッチハイクで新宿を目指したのでした。「東京は、大きすぎる街だから、君は自分を見失ってしまうんじゃないかな。古い日本の文化が残っている京都へ行ってみたらどう?」。風月堂で、たまたま隣のテーブルに座ったアメリカ人が、これからどこへ行こうか途方にくれていた私に話しかけてくれました。彼は、当時、京都に住んでいたアメリカ人のチャールズ・ローシェさんでした。

チャールズさんは二〇歳の時、ニューヨークを旅立ち、船でモロッコに渡りました。スペインに行くつもりが、船内で知り合った人からネパールの魅力を聞きます。世界をゆっくりと見て回るのが旅の目的だったので、行く先が変わるのは問題ありません。船、汽車、バスを乗り継いで北アフリカからネパールへ。暮れにはアメリカに帰るつもりで、インドのボンベイ（現・ムンバイ）から神戸行きの船に乗りました。今度は、船内で知り会ったドイツ人から、四国の松山でバーテンダーの仕事があると聞きます。結局、松山で三ヶ月間働いて生活費を稼ぎました。そして、日本が気に入ってしまい、クリスマスがきても彼はアメリカへ戻りませんでした。

京都で暮らすようになったチャールズさんは、アメリカのチーズケーキやベーグル、カプチーノコーヒーを飲みたくなることがよくありました。八〇年代になっても京都にはそういうカフェがなかったので、一九八五年にチャールズさんは自ら店を作ることを決意します。アメリカに住む母親ヴィラさんから、チャールズさんの妻、美枝子《みえこ》さんはニューヨークスタイルのチーズケーキを習いました。器用なチャールズさんは半年かけて、自分の手で店を作り上げました。私は本場のニューヨーク・チーズケーキの味が楽しめるこの素敵な店のファンになりました。それから五年後、彼は新たに店を出しました。父ジョンさんの名をもらってパパジョンズ・カフェと名付け、ケーキ好きの祖父アントニーさんの顔を店のシンボルマークとしました。

一九七一年に風月堂でチャールズさんと話した二週間後、私は京都に来ていました。チャールズさんの言葉が私の中で大きく膨らんでいたのです。パパジョンズ・カフェにいるチャールズさんは、今日もお客さんに温かく話しかけていることでしょう。三八年前、途方にくれていた私に見せてくれた同じ笑顔と優しさで。

Laughter is music for your heart to dance to.

笑い声は、心が躍るためのミュージック。

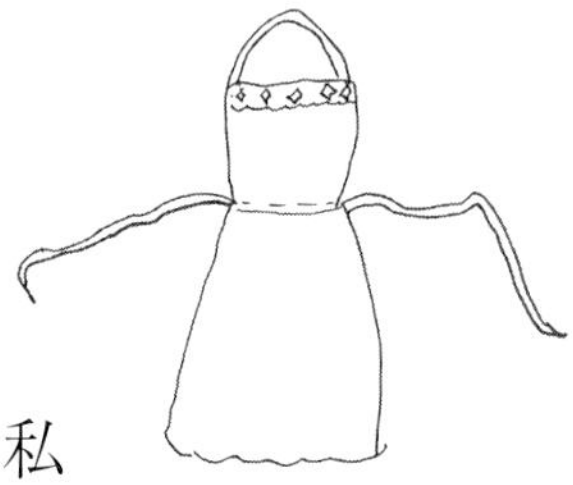

私の日本の母

春は桜の下で花見。夏の昼間は窓を開け放ち、簾《すだれ》を垂らした部屋ですいかを食べ、夜は花火を楽しむ。鈴虫の鳴き声とともに秋が深まるともみじ狩り。そして、冬は鍋と熱燗《あつかん》で温まります。まったく日本人は季節を楽しむ名人です。日本では、季節の変化に応じて料理、衣服、寝具、祭り、遊びが変わります。季節の変化とその美しさを楽しむこの国の慣習は、一九七一年に日本で暮らし始めて間もなかった当時の私にとって、新鮮であり、驚きでもありました。

私は、イギリスで七年間、ジャージー島で一〇年間、そしてスペインで一年間、スイスと南フランスでも一年間暮らしました。そして、日本に暮らしてもう三八年になります。「どこの国から来たのですか?」と聞かれれば、最も長くいる「日本」と答えたい気持ちです。

三二歳の時、私は過労が原因で病気になりました。英会話学校の仕事と家事と育児で、毎日てんてこ舞いの忙しさだったからです。「仕事を止めるか、又は家事を手伝ってくれる人を探すように!」と医者は私にすすめました。それが、前田敏子さんと出会うきっかけとなりました。私が生徒さんに英語を教えている間、前田さんは家の掃除や洗濯をし、子供たちの食事を作ってくれました。生徒さんに出す彼女のイングリッシュティーは京都で一番おいしいと評判になりました。

長女のサチアは前田さんから料理、裁縫、掃除、それに正しい日本語の話し方を学びました。言葉や習慣の違いからくる様々な私のストレスを、彼女は軽減してくれました。日本ではスリッパをフロア用、トイレ用、洗面所用と使い分け、畳の部屋では脱ぎます。靴を履きっぱなしの生活をしていた私にとっては、そんな簡単なことさえ難しく感じられました。食器を洗う時、イギリスでは洗剤を薄めた水で食器を洗った後、すすぎません。日本では必ず水でよくすすいで泡を落とします。掃除をする時は、雑巾を上用、下用と使い分けること、それから、布団の干し方、和食を作る時の野菜の薄切りの仕方など、教えてもらったことは数えきれません。前田さんと私は一〇歳しか違いませんが、私にとって彼女は日本の母親のような存在です。

大原の古民家に引っ越した時、私は一ヶ月の休みを取り、家の掃除や修理に明け暮れました。彼女は引っ越しの初日から手伝いに来てくれました。煤《すす》や埃の付いた壁、柱、天井を濡れ雑巾で磨きました。私が「もう終わりにしましょう！」と言っても、前田さんは「もう一度磨けば、もっときれいになりますよ」と言って何度も磨きました。まだ、幼かった末っ子の悠仁《ゆうじん》は、前田さんを「マエマエチャン」と呼んで慕いました。

「理想的な日本女性とはどんな人？」と聞かれれば、私は前田さんのような人だと答えるでしょう。「ベニシアは明治女みたいね」と、同世代の日本人の友達によく言われます。からかってそう言っているのかもしれませんが、もしほめてくれているのならば、それはきっと前田さんのおかげだと思うのです。

前田さんは辛い時でもいつもニコニコしています。強いけど、優しさと柔らかさだけを人前に出しています。時々、女性に対して威張っている日本の男性を見かけます。日本に来た頃の私は、それを不公平だと感じ、日本の女性はパワーがないなと思っていました。イギリスでは常にレディーファーストで、女性はいつも男性に守られる存在でしたから。でも、日本に長く住むうちに考えが変わりました。自分を引いて人にゆずるのがスムーズに物事を進める、ちょっとしたコツなのだと知りました。それを無言で私に教えてくれたのが前田さんです。彼女のような女性が、日本では家族をしっかりと支えているのだと思います。

前田さんは、大原に来るといつも田んぼや畑の道を歩き、野に咲く花を摘んで帰ります。家で水彩画を描くためです。前田さんは、一〇年前にある水彩画の展示会を見にいったことがきっかけで、水彩画を始めました。初めて彼女の絵を見た時、私はその才能に驚きました。繊細で忍耐強く、温かで優しい彼女らしさがよく伝わってきたのです。今日も前田さんは絵筆を握っていることでしょう。

Smiles open many doors.
Only a person who is happy can create happiness in others.

笑顔は、様々な扉を開いてくれる。
自分の幸せを感じられる人のみ、
人にも幸せをもたらすことができる。

八〇年以上追いかけたパンの夢

私が日本に来た頃は、昔イギリスでよく食べたブラウンブレッドを焼くようなパン屋さんをあまり見かけませんでした。それから四〇年近く経った今でも、京都のパン屋さんに並ぶパンのほとんどが白パンのようです。玄米が体にいいように、ブラウンブレッドも健康的でおいしいです。

私の友人である竹下桃子《たけしたももこ》さんの父親は、パン研究家の竹下晃朗《たけしたあきろう》さんです。晃朗さんが作るおいしいブラウンブレッドを、桃子さんはしばしば私に持ってきてくれました。ところが、彼女がアメリカに住むようになってから、晃朗さんのパンをしばらく口にしていません。私はブラウンブレッドの味が恋しくて、晃朗さんに電話をかけてみました。

「静原のカフェ・ミレットに私が作ったパン焼き石窯があります。そこで一緒にベジタリアンランチを食べましょう」と晃朗さんは誘ってくれました。

静原は私が住む大原の隣村です。晃朗さんと約束した日は、冷たい北風が吹く冬の終わり頃でした。私は大原から東海自然歩道を歩いて江文峠を越えました。そして、家から三〇分ほどで、カフェ・ミレットの門をくぐりました。私はこの道を以前から何度も通ったことがありますが、ここがカフェだとは気付きませんでした。お店に入ると時間が止まったような、静かな雰囲気が漂っていました。この店の主人、隅岡樹里《すみおかじゅり》さんが明るい笑顔で迎えてくれました。

大きな窓に囲まれた明るい部屋の一角に置かれた薪ストーブの前に、晃朗さんは座っていました。晃朗さんとお会いするのは久しぶりのことでしたが、八八歳の今も以前とほとんど変わらない様子でした。晃朗さんは、存在感のある黒い鉄の扉の付いた石窯へと、私を案内してくれました。石窯の前には焼けたパンがいくつも並んでいました。晃朗さんは、パン焼き石窯を作るワークショップの講師を頼まれてカフェ・ミレットに来るようになったそうです。今では、窯作りだけでなく若い人たちにパン作りも教えているそうです。

晃朗さんのパンの秘密は、材料の小麦からそれを焼く窯に至るまでの深いこだわりと工夫にあるようです。小麦は国内各地の生産農家から原麦で仕入れています。地域や品種によって味や腰の強さが違うということです。それを自家製電動石臼でゆっくりとひきます。早く回転させてひくと麦の香りが飛んでしまうと話してくれました。

ひきたての小麦に塩とイーストと水だけを入れて、手でこねてから発酵させます。腰が強いパン用の輸入小麦だと機械でこねることができますが、国内産の小麦は腰が弱いので、手でこねなければなりません。生地を発酵させるためには、普通は三五度で二時間かけますが、晃朗さんは一七度の低温でひと晩かけます。すると、より豊かな風味のパンになるそうです。それを自家製石窯でコークスを燃料に、蒸気を加えながら三〇〇度で焼き上げます。

晃朗さんは、お父さんの仕事の関係で、オーストラリアで生まれたそうです。

「英語も当時のこともあまり覚えていないけれど、六歳まで暮らしたシドニーで、毎朝食べたブラウンブレッドの味が今も忘れられないのですよ……」

自由学園一期生だった晃朗さんは、学校卒業後すぐに徴兵されましたが、病気のため間もなく帰還しました。自由学園とは、キリスト教の信仰心を持った二人のジャーナリスト、羽仁《はに》吉一《よしかず》、もと子夫妻によって大正一〇年に設立された学校です。晃朗さんは自由学園那須農場を任されて九年間、農場で麦、トウモロコシ、野菜を育てました。その間、実験と試行錯誤を繰り返しながら、小麦をひいてオーブンを自作して、パンを焼きました。

やがて、岩手の開拓農家にいた信子さんと結婚。「男ばかりの農場だったので、皆の繕い物が大変でした」と信子さん。この後、二人は小岩井農場に移り、二年間牧場で働きました。その後、晃朗さんは農業を止めてエンジニアに転職します。農場時代、彼は農作業よりも農業機械を触る仕事の方が好きだったのです。まずは親戚が経営する工場へ行きますが、大好きなパン作りから離れられず、大手パン工場やオーブンメーカーで製パン機械の設計をするようになりました。やがて、晃朗さんは製パン用オーブンの設計者として業界で名が広まりました。

六歳までに覚えたブラウンブレッドの味を求めて、今日もパンの夢を追いかける晃朗さんの元気な様子を見て私は安心しました。樹里さんが作るおいしいオーガニックベジタリアン料理と晃朗さんが焼いたブラウンブレッドはとてもよく合い、幸せなランチタイムとなりました。

Grain by grain a loaf. Stone by stone a castle.

一粒、一粒の麦からできるパン。
ひとつ、ひとつの石からできる城。

パン研究家の竹下晃朗さんと、石窯で焼き上げたブラウンブレッド

私をいつも助けてくれる日本の母、マエマエチャンこと前田敏子さん

大原工房を営む上田寿一さんに、草木染めを体験させてもらった

毎年９月１日の夜に豊穣を願って踊る、江文神社で行われる八朔祭り

第三章

子供たちに夢と力を

夢と希望の源

「夏休みの間、テレビは一日二時間以内にしようね」と、私は子供たちと約束しました。二〇〇三年の夏のことです。たっぷりと時間がある夏休みの間、本に親しんでほしいと思ったからです。それで、京都市内の児童書専門店「きりん館」に二人を連れていきました。店内には子供用の小さなテーブルや椅子が置かれ、子供たちがゆっくりと本を探せるようになっています。三歳の浄《じょう》はさっそく木馬にまたがり、小学校四年生の悠仁《ゆうじん》は真剣な顔で本を探し始めました。

しばらくして、大原に住む寺島美矢子《てらしまみやこ》さんがお店に現れました。児童書が大好きな小学校の先生の彼女は、きりん館の主、吹田《すいた》さんと情報を交換しているそうです。

「子供が本を好きになるには、家庭で本と親しむ環境が必要だと思いますよ」と吹田さんは私に話してくれました。

「まず、子供が小さい頃から、親が絵本を読んであげて、本を一緒に楽しむ時間を持つことです。難しいのは、次の段階なんですが、子供が文字だけで書かれた本を読めるようになるまでです。子供が学校で字を覚えたら、自動的に自分で本が読めるようになるだろうと、多くの大人は思いがちです。でも、文字が読めてもすぐに読解力が付くわけではありませんから」

「うちの学校でも、子供たちがひととおりの文字を覚えた後、文字だけの物語を自分で読んでくれるようになるのに一年かかりますよ」と美矢子さん。

「テレビやコンピューターゲームなど視覚的なイメージを与えられることに慣れている子供にとって、文字だけを読んで物語のイメージを作り上げるのは難しくなっているようです」と吹田さんが言いました。読書の最初の一歩を踏み出すまでは、ある程度訓練が必要なようです。

私の父は、私が一三歳の時に亡くなりましたが、死ぬ直前まで私に本を読んでくれました。結婚前、父はシェークスピア劇団の俳優として活躍していました。第二次大戦中、父はロンドンの大きな防空壕へ行き、空襲から避難して来た人たちに、毎晩のように本を朗読したそうです。やがて、私と弟が生まれ、父は毎晩のように妖精の話や冒険物語を私たちに読んでくれました。父が読む物語は、私を世界中に連れ出して、いろいろな人に会わせてくれたのでした。

二〇〇八年のある日、きりん館は店を閉めました。残念なことです。きりん館は日本で四番目にできた児童書専門店で、営業していた三三年間、子供たちに夢を与え続けてきました。

「今の時代は皆テレビばかりで、本を読まなくなったのでしょうか……」と吹田さんは寂しそうに言いました。

テレビで流される戦争や犯罪のニュース、暴力的な内容の番組を小さな子供たちに見せたくないと私は思っています。そういう現実は大人になるにつれて、嫌でも見るようになります。せめて子供の時ぐらい、夢と希望とファンタジーの世界に長く生きてほしいと願っています。いい児童書は、それを与えてくれるはずです。

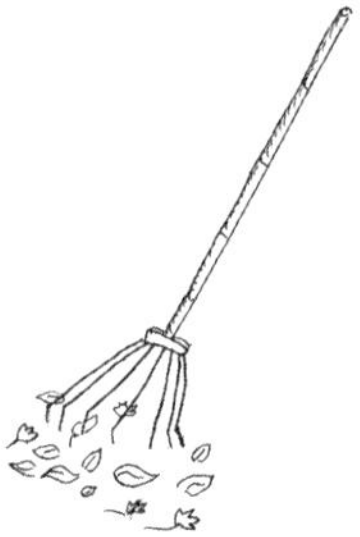

家庭で学ぶ知恵

毎年ゴールデン・ウィークには、大原にある八つの村の氏神《うじがみ》を祀る江文神社《えぶみじんじゃ》で大原祭りが行われます。この神社は、今は金毘羅山の麓にありますが、昔は山頂にあったそうです。平安時代後期に、現在の場所に移されたようです。

大原祭りの日には、江文神社から一キロ半離れた花尻神社《はなじりじんじゃ》まで、三基の神輿《みこし》が運ばれます。素襖《すおう》という藍染めの礼装を着た一家の長男たちが神輿を担ぐ役割を与えられます。重い神輿に十数名の男たちが集まり、肩で担ぎ上げるのです。昔から大原の若い人々は、このような祭りに参加することで、地域の大人たちと関わり、成長していったのでしょう。

今年から息子の悠仁《ゆうじん》は高校生、孫の浄《じょう》は小学四年生になりました。この頃、浄も悠仁と一緒に掃除機かけと庭の水やりをしてくれるようになりました。私は、息子の高校の入学祝いに携帯電話をプレゼントしました。ただし、電話代は自分の小遣いから払うという約束です。彼は、家の手伝いをして電話代を稼がねばなりません。

イギリスでは、家族全員で家事の役割分担するのが一般的です。それをChores（チョアーズ、毎日やらなければならない家事や雑用仕事）と呼び、小さな子供にもそれなりにできる仕事が与えられます。例えば、親は、二歳の子供には、おもちゃ箱におもちゃをしまうことを教えます。五歳の子供には、自分の身の回りのものを片付けること。そして、一〇歳になると皿洗い。中学生（一二歳）になったら、自分の部屋の掃除と自分の服の洗濯をします。洗濯をしたがらない子供もいるようですが、母親は気になっても放っておくようにします。

また中学生になると、親が子供に一年分の衣服を買うお金を渡す家庭が多いようです。学校の制服や体操服などは別ですが。子供は、もらったお金の範囲内で自分の好みの衣服を買います。そうして、子供が自分でお金を計画的に使うことを学ばせるのです。自分で選んで買った衣服だから、大切に着て手入れすることも覚えるのでしょう。

ひと昔前のイギリスの主婦は、料理や掃除、洗濯など、家事の全てをこなしていました。ところが、ここ五〇年くらいで変わったようです。女性も社会に出て働くようになったからです。今では、家族の皆で家事を分担する家庭が多くなりました。時には、ワインを飲みながらおいしい料理を作ったり、音楽を聴きながら掃除をしたり、皆で楽しく家事をしたいものです。近頃では、家族全員が時々集まって、家事が皆に行き渡るように話し合う家庭が増えていると聞きます。土曜日の朝には、家族全員で家や庭の掃除をし、終わったら一緒に食事に出かけることもあるようです。

一方今の日本では、仕事を持つ若い女性の多くは、あまり結婚したがらないと聞きます。一日中仕事をした後で、夜帰宅してから家族の夕食を作るなど、全ての家事をしなければならないと思い、不安なのでしょうか。子供を持つ主婦は、「子供には勉強に集中して、良い学校に進学してほしい」という強い願いがあり、手伝いをさせるのを控えているのかもしれません。しかし、それではその子が成長して、独立して暮らすようになった時、戸惑うことになるかもしれません。基本的な家事、例えば、ごはんを炊いたり、自分の服を洗濯することは、子供のうちに身に付けておきたいものです。生きていくうえで欠かせないことですから。

息子の悠仁と孫の浄には、そのうち道具を使う大工仕事や力が必要な庭仕事なども覚えてほしいと思っています。また、家庭での役割分担だけでなく、学校や地域の集まり、行事などにも進んで参加して、いろいろな仕事を体験してほしいと思っています。大原のような小さな村は、家庭と地域社会の結びつきが深いので、幸いにもそういう機会に恵まれているようです。

The mistakes we make on our own often provide important lessons that will later in life prove essential.

失敗の経験は、
大事なことを教えてくれる。
それは欠かせないものだったと、
後の人生できっと分かるから。

意思と心こそが国際共通言語

私が住む大原の近所の人々は、いつも気持ちよく挨拶をしてくれます。外国人であることを特別に意識したり、私に無理に英語で話そうとしません。私はこれまで日本の幾つかの町や村で暮らしてきました。外国人扱いせず、はじめから私を自然に受け入れてくれたのは、大原の人々が初めてでした。

日本に来て間もない頃、日本人の言う「はい」が本当に「はい」なのか、「いいえ」が本当の意味で「いいえ」なのか、私は理解しにくいと思いました。「はい」が、ある時は丁寧な「いいえ」の意味があるということに気付くようになるまで時間がかかりました。

また、日本人は「ええ」という言葉をよく使います。これが「はい」、また時には「いいえ」を指すようです。その場の雰囲気や相手の目や表情を観察して、どちらの「ええ」なのか判断できるようになるのに、私はかなりの年数を要しました。自分を出さず、和を重んじるこの国の人の考え方やコミュニケーションの仕方に、私は戸惑ったものでした。日本では、この日本流のコミュニケーションが普通で、うまく回っていると思います。しかし、外国人と英語で話すような場合は、日本流コミュニケーションではうまくいかない時もあります。

英語は直接的ではっきり表現する言語です。「イエス」と「ノー」をはっきりと表現しなければ、自分の意思は相手に伝わりません。私の英語の授業で「私の言ったことを理解しましたか?」と尋ねると、ほとんど全員が「イエス!」と答えます。しかし、ひとりひとりの目を見ると、それが本当に「イエス」なのか、又は「ノー」であるのかが分かります。英語では、肯定する時は「イエス」、否定する時は「ノー」と言わなければ相手に伝わりません。また、新しい言語を学び始めた時は、文法や単語を間違えることをあまり気にしない方がいいと思います。間違ったらどうしようと考えると話すのが億劫になります。うまく喋れないから恥ずかしいと引っ込むと言葉が出なくなります。適切な言葉や文法を探し出すことよりも、まず人に自分の考えを伝えたい、コミュニケーションしたいという意思が重要なのだと思います。「日本の英語教育は、読み書きと文法がベースだったので、会話は苦手です」と話す生徒さんが多いようです。英語を話せないひとつの理由が、日本の英語教育にあるといえるかもしれません。でも、別の原因もあると思います。

日本では、英語の発音をクィーンズ・イングリッシュやアメリカン・イングリッシュであることを気にする人が多いようです。けれども世界中の様々な国の人が、英語を国際共通言語として使っています。インド人はインドっぽい発音の英語、フランス人はフランス語っぽい発音の英語を話します。大原に大原弁があるように、日本人らしい英語で話していいのではないでしょうか。イギリス人やアメリカ人の喋り方を無理に真似る必要はないと思います。英語が母国語のイギリス、アメリカ、アイルランド、オーストラリアなどの国でも、英語の発音やイントネーションが異なります。できるだけ長く、無理せず自分らしく会話ができる発音で話すのが、自然だと思うのです。

私は一九歳で日本に住むようになりましたが、その時は日本語がまったく分かりませんでした。私は何度も何度も人が話しているのを聞こうと努力しました。聞いているうちに日本語を自然に覚えられるのではないかと思っていたのです。日本語を聞き取れず、意味が分からないままの年月が流れました。それが、五年経ったある日、まさに突然のことです。それまでバラバラに聞こえていた日本語の単語が全てリンクし、急に日本語が分かるようになりました。

以前、私の英会話学校に、三歳の子供を連れた母親が来ました。母親はその子を英語の授業に参加させたいようでした。私は英語を勉強するにはまだ早すぎるのではないかと言いました。

しかし、彼女は私にこう言いました。

「この子が英語を覚えなくてもいいのです。あなたに英語で話してもらい、英語を話す子と一緒に遊ぶうちに、世界には日本語以外の言葉があり、日本人とは違う顔や肌の色をした人々がいるということを、この子が感じてくれたらいいのです。そして、外国人や異文化に対して差別やコンプレックスを抱かない、広い視野を持つ人間になってほしいのです」

私は彼女の話に心を揺さぶられました。

From the fullness of the heart, the mouth speaks.

心にいっぱいになったものが、言葉になって出る。

北風ではなく太陽を

私が日本に住むようになった理由をよく訊かれます。「日本人の誠実さと優しい話し方が、この国で暮らしたいという気持ちにさせてくれました」と私はいつも答えます。

私達は大人になってからも、幼い頃に身近な人から覚えた話し方に影響されていると思います。私の父は物腰がとても柔らかく、一緒にいるといつも心が落ち着きました。一方、母はとても厳しく、何でもはっきり言う人だったので、私はきつい言葉に傷つき、母を恐れていました。私たち子供の世話をしてくれたのは、フランス人乳母のディンディンでした。私が一三歳になるまで世話をしてもらえたのは、とても幸運なことでした。彼女はいつも明るく、朗らかに接してくれました。彼女の教えと愛と理解があったからこそ、今の私があるのだと思っています。彼女は私たちに愛情を注ぎ、まるで我が子のように育ててくれました。怒鳴りつけたりすることはなく、私たち兄弟を座らせて、静かに諭してくれました。

私は日本で結婚し、二七歳で三人の子の母親になりました。英語教師の仕事と子育てを両立するため、目の回るような忙しい生活を送っていました。子供たちは皆性格が違い、それぞれ輝く個性や能力を持っています。異なるものを求める子供たちと暮らしながら、平穏な状態を保つのは大変なことでした。子供や夫にきついことを言ってしまうこともあり、そんな時はいつもあとで後悔しては、もっと優しい話し方をしなければと思いました。気が付くと私はディンディンをお手本に子供たちと接しようとしているのでした。

親であれば、子供が豊かな人生を築いていけるように、可能な限りを与えてあげたいと願うものです。例えば、質の高い学校教育、特技や能力を伸ばすための習い事、丈夫な体を作るための健康を考えた日々の食事など。しかし、私たちが見落としがちなのは、夫婦がお互いを尊重し、思いやる家庭内の良い人間関係ではないでしょうか。「子供に限らず、私たち大人の健康さえも害するもののひとつに、敵意と孤独感を持つことがある」と、以前イギリスの新聞で読んだことがあります。親が常に口論して乱暴な言葉を使うような環境、夫婦がお互いを責めているような状況下では、子供は精神的、身体的に悪影響を受けるでしょう。

イソップ寓話に「北風と太陽」の話があります。北風と太陽のどちらが旅人の上着を脱がせることができるかを勝負する話です。冷たく厳しい風を吹かせて、強引に上着を取ろうとする北風に、旅人は上着を飛ばされないように襟元を強く押さえます。一方、太陽は暖かな日射しを注ぎ、暖かくなった旅人は自分から上着を脱ぎます。

「優しい言葉は鉄の扉を開く」。私の好きなブルガリアの諺《ことわざ》です。この諺と「北風と太陽」の話は、伝えようとしていることが同じではないでしょうか。人に何かを求めて動いてもらいたいと思ったならば、冷たく強引な態度を示していては、人は動いてくれません。愛に満ちた優しい言葉や誠実な態度が人の心を動かすのだと、この言葉から教えられました。

魔法の言葉

三歳半になった孫の浄《じょう》が、ある時から急にたくさんの言葉を話すようになりました。朝起きると「おはようございます！」、感謝の気持ちは「ありがとう！」と言ってくれます。浄は八瀬保育園へ毎日通っていて、挨拶の言葉は保育園で覚えたのでした。

浄の母親のジュリーは、二四歳の時に浄を産んで、重いうつ状態になりました。結婚するつもりでいた浄の父親とうまくいかなかったことがひとつの理由のようです。私は一ヶ月ほどジュリーを入院させました。その時、担当の医師から統合失調症であると知らされました。ジュリーの症状が安定した状態で一年が経過して、幻聴もなくなれば、やがて正常に戻るだろうとのことでした。

三歳まで母親と子供は精神的に繋がっており、常に一緒にいるのが理想的だと思います。しかし、母親が病気になってしまったので、浄を見てあげる人が必要です。もちろん、浄の子守り役の一番の責任者はおばあちゃんである私ですが、英会話学校の仕事もあるので、毎日ずっと浄と一緒に過ごすことはできません。一歳にも満たない浄を保育園に預けることも不安に感じていました。どうしたらいいのだろうかと悩んでいる時に、大原の隣町にある八瀬保育園がいいという話を聞きました。

八瀬の町は比叡山の麓、大原から流れ出た高野川が作る狭い谷間に位置します。二〇〇四年当時、八瀬保育園は園児二五人に、保育士と調理師が六人。少人数で子供たちひとりひとりによく目が行き届いていました。開設当初は田植えと稲刈りの農繁期に開かれた季節託児所でしたが、一九六〇年に保育園になりました。ここに通っている園児の親の幾人かは、幼い頃この保育園で過ごしたそうです。長野三津子《ながのみつこ》先生は二七歳から、坂本洋子《さかもとようこ》先生は三四歳から、もう三〇年以上も八瀬保育園で保育士として働いています。また、ここで働いている若い保育士の中には、幼い頃八瀬保育園で学んだ人もいるそうです。

「私たち保育士も子供たちも、八瀬天満宮のお祭りや町の行事に参加します。地元との結び付きが深い保育園ですよ」と長野先生はにっこりと語ってくれました。

浄は保育園でごはんの食べ方や服の着方など、日常生活に必要な多くのことを学んでいます。最も私が感心するのは、挨拶と感謝の気持ちを口にするようになったことです。

「もし、子供たちが家庭内で『おはよう』や『ありがとう』という言葉を聞く機会がなかったら、その言葉を使うようになれるでしょうか。家庭の中で、また夫婦間で『おはよう』と『ありがとう』と言葉を口に出すことは、大切なことだと思いますよ」と坂本先生。

英国では「サンキュー」をマジックワード（魔法の言葉）と呼んでいます。感謝の気持ちを言葉にして伝えると、人との関係や物事が魔法のようにスムーズに進むからです。もし、子供が「サンキュー」を言わなかったら、親は「マジックワードは何？」と聞きます。私も子供の時そう母に言われて、あわてて「サンキュー」と言った思い出があります。

一九七三年、私は日本に来て二年目の年に、岡山の田舎で暮らしていました。神社の竹林の横にある二部屋だけの小さな自宅で、近所の子供たちに英語を教えて生活を始めました。それまで私は、東京や京都で暮らしており、英語だけでも何とかやっていけたので、日本語を話すことができませんでした。ところが、岡山のその村には英語を話せる人がひとりもいなかったのです。日本語がほとんど分からなかった私は、子供たちや近所の人の言葉に注意深く耳を傾けて、日本語を少しずつ耳で覚えていきました。子供たちは授業の時、正座し、私に対して優しく丁寧な日本語で話してくれました。また、月謝を持ってきてくれる時は、畑で採れたての野菜をいつも持ってきてくれました。それが「ありがとう。お世話になりました」の印だと私は受け取りました。感謝の気持ちを素直に表現することや、人に対して礼儀正しく接する習慣が、日本人の暮らしの中に自然に溶け込んでいるんだなとその時私は感じました。

暗い穴から抜け出して

　人間誰しも生きていれば、物事が思いどおりに進まず悩んだり、夢が破れたり、愛する人を亡くしたりなど悲しい経験をします。私は一三歳の時、辛い出来事が立て続けに三つも起こり、一年ほど抑うつ状態に陥りました。そこから抜け出すきっかけとなった話を始めましょう。

　最初の辛い出来事は、母が三番目の夫と離婚したこと。大好きな継父のダドリーと私は別れることになりました。その数ヶ月後には、実父のデレクが、四二歳の若さで心臓発作を起こし、タクシーの中で突然亡くなりました。さらに翌年の夏には、私が敬愛していたフランス人の乳母ディンディンと別れることになりました。私たち兄弟が彼女になつきすぎていると思い、母が解雇してしまったのです。私たち兄弟は、生まれた時からディンディンに面倒をみてもらい、我が子のように可愛がってもらっていたので、彼女は母親も同然でした。そのディンディンに会えなくなると知り、私は悲嘆に暮れました。人生は何て残酷なのでしょう。

　当時、私はヒースフィールドという寄宿舎制の女子校に在籍し、三人のルームメイトがいましたが、寮長は私をひとりにさせた方が良いと考え、きれいなバラ園を見下ろす小部屋に移してくれました。けれど、バラを見ても私の気持ちは晴れません。夜になると、私は寂しくて、どうやって生きていけばいいのか、分からなくなります。毎朝、目が覚めても、憂鬱で誰にも会いたくありませんでした。

母はすぐに再婚し、末の妹となるルシンダを身ごもっていたので、私のことを心配する余裕はありません。その年は、ほとんど自室にこもって、窓からバラ園や、大きな杉の木立を眺めて過ごしました。私はこの時期に、かつて父が読み聞かせてくれた古典小説を読みあさりました。物語の世界に没頭すれば、苦しみを忘れられるのではないかと思って……。

早朝に、若い体育の先生、ミス・ウィリアムズのところにお喋りをしにいくこともありました。寮長室の近くに先生の部屋があり、とても聞き上手な方でした。私は暗い穴にはまって出られないような状態でしたが、先生は私の話を静かに聞いてくれました。ある日、ウィリアムズ先生から学校の聖歌隊のオーディションを受けてみてはどうかと提案されました。その年は、イースター前に歌うことが恒例となっているバッハの『マタイ受難曲』のソプラノを募集していました。とても上手に歌えるとは思えないと答えましたが、先生は「やってみなければ分からないわよ」と微笑みました。

ヒースフィールドにはヴィクトリア朝様式のチャペルがあり、毎日、朝食後と夕食後の二回、全校生徒が集まって、お祈りや賛美歌を歌う習慣がありました。チャペルの窓は、ゴシック様式のステンドグラスで、木製の座席と立派な古いパイプオルガンがありました。私は静寂と平安に包まれたチャペルをたまに訪ねては、「この暗い穴から抜け出せるよう、私を助けてください」と、淡いキャンドルライトの中で神様に祈ったものです。

数日後、ウィリアムズ先生は私を音楽室に連れていき、オーディションを受けさせてくれるよう、音楽のフランクリン先生に頼んでくれました。フランクリン先生は小柄で、恰幅《かっぷく》がよく、白髪交じりで、丸い金縁メガネをかけていました。部屋には、埃のたまった楽譜の山と、黒くてぴかぴかの大きなグランドピアノがありました。好きなフォークソングを尋ねられた私は、ちょっと考えてから、イギリスのわらべ歌『ラヴェンダーは青い』と答えました。フランクリン先生は「短い歌だね」と微笑むと、高いキーで伴奏を始めました。歌い始めると、我ながら高音が出るのに驚きました。歌い終わると、二人の先生が笑顔で拍手をしてくれました。

「とても良かった。きれいな声だね」とフランクリン先生が言ってくださいました。歌っている間は悲しみが和らいでいたことに気付き、私は少し嬉しくなりました。部屋に戻ると、心の奥で父の声が聞こえたような気がしました。

「ベニシア、何か素晴らしいことを見付けて生きていくんだよ。いつも見守っているから」

私の心の中で何かが溶け出し、みるみる涙があふれました。そして気付いたのです。こうやって小さな部屋にこもって、「不公平だ、何でこんなに苦しいの」と暗く悲しみに浸っていたら、人生を無駄にしてしまうのだと。この暗闇の世界で自分を見失ったら、私にとって大切な三人を悲しませてしまうことになる。三人とも、私のことを想い、いつも笑顔が絶えないようにしてくれたのに……。古びた真鍮製《しんちゅうせい》のベッドから私は起き上がり、庭へ散歩に出かけました。

数日後の朝礼で、オーディション結果が発表されました。私の学年からはターシャ、ダイアナ、そして私の三人が選ばれ、皆の拍手に感激していました。拍手がおさまると、校長先生が笑顔でこう告げました。「今年の『マタイ受難曲』のソリストは、ベニシア・スタンリー・スミスです」。みんなの歓声に私も笑顔になりました。私がソリストなんて、信じられない！

その日から、フランクリン先生はイースターのリサイタルのため、個人レッスンをしてくださることになりました。私はこの出来事を手紙でディンディンに知らせました。母に解雇されたディンディンは、娘のアレクシナと家を出て、病院で高齢女性の介護職に就いていました。私はどうしてもディンディンに会いたくて、時々、母に隠れて学校の休暇中に会っていました。

オーディション合格は、私にとって大きなターニングポイントになりました。抑うつ状態から抜け出すことができたのですから。辛くて耐えるしかない時期もありますが、やがて、それを乗り越えるきっかけとなるものと出合えるものです。自分に起こる出来事は、人間として成長するために必要なことが起きているのではないでしょうか。私の場合は、ウィリアムズ先生とフランクリン先生が、閉じこもっていた私をより広い世界に引っ張りだしてくれました。心から感謝しています。でも、あの時私が閉じこもることに執着していたら、抜け出せなかったかもしれません。「暗い穴から抜け出したい」という願いがあり、心の目を閉ざさず、人生には必ず希望があるとどこかで信じていたから、抑うつ状態から抜け出すことができたのだと思います。

家族と発展途上国の人たちの笑顔

二月一四日はセントバレンタインデーです。セントバレンタインデーの起こりは、いくつかの説があるようです。その中のひとつは、多産と豊穣を祈る古代ローマの祭りルペカリアです。この日は、犬とヤギを生贄《いけにえ》に捧げ、高い階級の二人の若者が若い女性たちの間を走り回り、ヤギの皮で作ったムチで彼女たちを軽く叩きました。叩かれた女性には子供が授けられると信じられていました。この祭りが時を経て国を渡って伝わるうちに変化していったようです。

イギリスでは差出人の名前がないラブレターが男性から女性に送られます。受け取った女性は、「誰からの手紙だろう?」と想いを巡らせます。アメリカではハート形の箱に入ったチョコレートと赤いバラを男性が女性に贈る習慣があるようです。日本では、なぜか逆になって、女性から男性に贈る習慣になっています。

私も日本の習慣に合わせて毎年、夫と息子にチョコレートをプレゼントしています。今年はミントゼラニウム・チョコレートケーキを作りました。材料に使う板チョコはフェアトレードの商品から選びました。フェアトレードとは、植民地貿易から続く不公平な貿易や儲け主義の貿易に対抗し、発展途上国の生産者の生活を考えた「公正な貿易」です。一時的にお金やものを寄付し援助することで発展途上国の人々を助けようというのではありません。現地での仕事やものに対する当たり前の公正な金額を支払い、それを作る人が生きていくうえで当たり前の生活を維持するためのシステムを作ろうといった草の根運動です。

その運動の始まりは一九六〇年代前半。イギリスのクリスチャンのグループが貧困に悩むアフリカの人々に毛布や食料などの援助物資を送りました。空になった帰りの船や飛行機には、現地の人々が作った手工芸品を積み、欧米でそれらを販売しました。売上げは生産者の生活を支え、利益の一部は活動資金に充てられたのです。今では、世界中で多くの団体がフェアトレードを通して、発展途上国の人々の生活水準の向上に努めています。

私の曾祖伯父カーゾンは一八九八年から一九〇五年までインド総督を務めました。それで実家にはインドのマハラジャから贈られた多くの手工芸品があり、子供の頃から私はインドをはじめ東洋に親近感を持っていました。私は、インドを旅して小さな村で機織りをしていた女性や子供たちを見た時、その貧しさに驚きました。彼女たちが作っている美しい織物が、イギリスではどれほど高価なのか知っていたからです。イギリス人が植民地で行ってきたことなども書物を通して知っていたので、自分も何かしなければいけないと思っていました。自分がフェアトレードの商品を買うことで、少しは発展途上国の人々の役に立てれば……と思っています。

板チョコを刻んで、ハート形のケーキを焼き上げました。バレンタインデーに、夫と息子は喜んで食べてくれることでしょう。そして、ボリビアのカカオマス農園で働いている人たちも幸せな笑顔を浮かべていればいいなと思います。

第四章

近所の山を歩く喜び

我が家の「登山の日」

大原の北に天ヶ森という八一三メートルの山があります。この山はナッチョという奇妙な名も付いています。ナッチョとはその昔、年貢などを納める納所《のうしょ》がなまってナッチョとなったという説があるそうです。年貢を納める倉庫自体もナッチョと呼ばれているようで、林業や炭焼き、荷物担ぎなどの道具や食料を納める小屋がナッチョにあったのではと推測されています。

木々の葉が赤や黄色に色付き始めた一一月一一日、私たちはナッチョに登ることにしました。一九九三年の一一月一一日、私は南アルプスの仙丈ヶ岳山頂で、登山が好きな正と結婚式を挙げました。私にとって初めての雪山で、命がけの登山だったことを覚えています。それ以来毎年一一月一一日が、我が家の登山の日となっています。

ナッチョの登山口は大原北部の村、百井《ももい》にあります。正と息子の悠仁《ゆうじん》と私の三人は、山奥の隠れ里の雰囲気を残す百井の村はずれに車を停めました。夏休みの林間学校で、悠仁はこの村にある大原小学校百井分校に泊まったことがあります。近くの神社で行われた、きもだめし大会での恐ろしい体験を悠仁は真剣に話してくれました。

「それなら帰りに、百井峠のお化けを見に行こう」と正。

百井分校は生徒がいなくなって、今は廃校になっています。交通が不便だった昔、多くの人々が山村で生活していました。ところが、誰もが車を持ち便利になった現在、山村の人口はどんどん減っているようです。

私たちは村の畑を横切り、鬱蒼とした杉林に被われた林道を歩きました。そこを抜けると景色が急に変わり、明るい雑木林の尾根に出ました。前日に降った雪と鮮やかな紅葉のコントラストがとてもきれいです。鹿除けの柵をくぐり、造林地に出ると目の前に大展望が開けました。比叡山から大原に続く山並や大原盆地が一望できます。ここで私たちはお弁当を広げることにしました。おにぎりを三人で頬張りながら、大原を流れる高野川や山々の向こうに見える琵琶湖を眺めました。

正と会うまで私は登山とは無縁でした。日本に三〇〇〇メートル級のアルプスがあることや、イギリスで最も高い山が、ベンネヴィス（一三四四メートル）ということも知りませんでした。以前の私は「どうして、あんなしんどそうなことに熱心になれるのかしら?」と登山をする人の気持ちがまったく分かりませんでした。でも、正に連れられて山に登るようになって、その良さを知りました。自然に親しめること、体の調子が良くなること、チャレンジや冒険的な要素があることなど、登山には様々な魅力があります。一歩一歩、足元の石や岩に気を付けて、ゆっくりとした呼吸で山を歩くうちに、周りの自然に内側の自分が一体化する時間を持てるように感じます。そのすがすがしく充実した時間が、私にとっての登山の魅力です。たぶん登山をする人は、意識していなくても、皆この貴重な時間を感じ取っているのでしょう。

琴平おばあちゃん

たくさんの美しい山や森林に恵まれた日本は、ハイキングするには最適の国です。国土の七〇パーセントが山林ですから、電車や車にちょっと乗れば、どこかの山や森に行き当たります。私の場合は、山の頂上を目指すことより、森の中で静かな自分だけの時間を楽しむために野山を歩きます。体がだるく感じ、辛くて歩きたくないと思う日もあります。でも、歩き出してしばらくすると体が温まり、筋肉や関節がほぐれ、体中を血が巡っていくのを感じます。一日中山歩きをした日の夜は、エネルギーが満たされ、あっという間に深い眠りに落ちます。

我が家の近くにある金毘羅山の中腹に、琴平新宮社《ことひらしんぐうしゃ》という小さな神社があります。山道を歩かなければ行けない神社なので、訪れる人は少なく、静かで落ち着いた神社です。そこを通って金毘羅山に登るコースは、私のお気に入りのコースのひとつです。琴平新宮社には、いつも境内の掃除をしたり、お祈りをしているおばあちゃんがいます。私は彼女のことを「琴平《ことひら》おばあちゃん」というニックネームで呼んでいました。ある日、琴平新宮社に登っていくと、琴平おばあちゃんがお茶とお菓子をすすめてくれました。お茶を飲みながら、どうして琴平おばあちゃんがここに毎日来ているのか、思い切って尋ねてみました。

琴平おばあちゃんは大正一三年生まれで八五歳になるそうです。四〇年間、雨の日も雪の日も、また台風の時もほぼ毎日欠かさず、琴平新宮社へ来るそうです。住んでいる家はかなり離れており、静原という金毘羅山の西側の町までバスに乗り、そこから山道を登って通っているということです。琴平新宮社に毎日通うようになったきっかけは、御主人の癌でした。御主人に治ってほしいという願いをこめて、琴平おばあちゃんは毎夜お参りしました。願いは通じ、御主人は癌を克服することができました。その後数年間は、元気に暮らすことができたそうです。こんなにも琴平おばあちゃんが元気なのは、毎日山を歩いていることと、大きな声でお祈りしていることが、きっと体と心にいいのだろうと思いました。

ある日、私の友人の竹林正子《たけばやしまさこ》さんが、ジーン・コーエン著『いくつになっても脳は若返る』という本をすすめてくれました。コーエン博士は、長年の臨床経験に基づいて、年齢を重ねても豊かで充実した生活を送れるといっています。まず、日々の運動が大切であることが指摘されています。運動をしなければ、体の筋肉や器官は徐々に衰え、心臓発作や関節炎、高血圧、アルツハイマー病へと繋がることもあるようです。山登り、散歩、水泳、サイクリングなどの有酸素運動は、新しい脳細胞の成長を促し、脳を発達させるということです。また、細胞エネルギーを作り出すコエンザイムQ10を体内で増やす効果もあるといわれています。この物質は、もともと体の中にあるもので、エネルギーを生み出すための酵素を助ける補酵素だとのことです。琴平おばあちゃんを見習って、私も年を重ねるにつれ、より意識してウォーキングの時間を作るようにしています。

銀世界でスノーシュー

凍り付くような冬のある寒い朝、カーテンを開けると庭は雪に被われて、きらきらと輝いていました。雪をまとって白く輝く比良山地の山々が、我が家の窓からくっきりと見渡せました。するとと夫の正が、比良山地の武奈ヶ岳（標高一二一四メートル）に登ろうと言い出しました。「私が頂上まで登れると思う？　スノーシューは二回しか経験してないもの」と言うと、「やってみなきゃ、分からないよ」と返事が返ってきました。スノーシューとは、西洋式のかんじきのようなもので、これを履くと深い雪山でも沈まず歩けます。

翌朝、私たちは登山道具を車に積んで、雪が積もった道を登山口のある葛川《かつらがわ》坊村《ぼうむら》へと向かいました。山里の家々の屋根に雪がたっぷりと積もり、おとぎ話のような白銀の世界です。もう八時半だったので、私たちは急いで登山靴に履き替え準備をしました。素手でスノーシューのバックルを締めているうちに、たちまち手が凍え指の先が痛くなってきました。私たちは、明王院の横手から杉林の中を登り始めました。私は凍えた指先の痛みがひどくなり、ここに来たことをもう後悔し始めていました。毛糸の手袋をとって、指先を温めようと息を吹きかけていたら、ズボンのポケットに手を入れて温めるよう正に言われました。手に少し温もりが戻ってくると、あまりの痛みに涙が出そうになりました。

雪の森の中には先行した登山者のトレールが残っていました。杉の枝に積もった雪の塊が、強風にあおられて私の頭上に落ちてきます。急勾配のジグザグ道を上へ上へと進むうちに、森に日射しが差し込んできました。朝日が反射して、無数のクリスタルがきらきらと輝いているようです。一時間半ほど歩いたところで休憩です。リュックサックの中から魔法瓶を取り出し、ハイビスカスとローズヒップのハーブティーで体を温め、アンパンを食べました。ちょっとエネルギー補給をしたら、体も温まり気分もよくなってきました。それから、私たちはゆっくりとしたペースで再び登り続けました。細い急な尾根を上へ上へと登るうちに、子供の頃に経験した恐怖を私は思い出しました。

私の家族は毎年、スイスのサンモリッツへスキー旅行に出かけていました。私は初めてスキーをした時のことを今でも忘れられません。八歳くらいだったと思いますが、母は私と弟と妹をリフトに乗せ、アルプスの高いスロープへ連れていきました。母はスキー・ブーツをスキー板に付けることと、プルークボーゲン（スキー板の先を狭くし、後ろを広くしてハの字にしたまま滑る）を簡単にさっと教えると、私たちをゲレンデの上まで連れていきました。私はアルプスの広大なパノラマを臨み、背筋が凍り付く思いでした。

「さあ、滑って！」

母は大きな声で言うと、私たちの背中を押しました。弟と妹はぐらつきながらも笑い声をあげ、すぐにコツを摑んで滑って行きました。私は二本のスキーがくっつきすぎて、恐ろしいスピードでゲレンデを滑り始めました。どうやって止まればいいのか分からず、心臓はバクバクと音を立てました。もう転ぶしかないとストックを手から放し、木の傍の雪の塊に頭から突っ込みました。ようやく顔を上げると、雪の塊からスキー板が突き出ていました。私は助けを求めて辺りを見回し、母はどこに行ったのだろうと泣き出しました。しばらくすると、母は私のところまで上がってきて、「こんなところで何してるの？」と笑いました。そして、「立ち上がりなさい」と言うので、私は唇をかみしめながら叫びました。

「立てない！」

「大丈夫、立てるわよ」。母はまた笑うと、ゲレンデをひとりで滑り降りていきました。母が私を置いていったことが信じられず、私は二度とスキーはしないと心に誓いました。

この事件以降、私は高いところや、滑り落ちそうな坂が怖くてたまらなくなったのです。何度も克服しようとしましたがだめでした。五〇年過ぎた今になって、この山の上で、また恐怖が襲ってきたのです。私は深呼吸し、横の急斜面は見ずに視線を足元に集中させ、ゆっくりと確実に前進しました。

やっとのことで緩やかな斜面に着き、私は再び魔法瓶のお茶を飲みました。太陽は暖かく、風も止んでいました。鳥と出合わないのは不思議だとさっきから思っていたのですが、耳を澄ますと鳥のさえずりが聞こえてきました。お腹がすいてきましたが、正は先を急ぎたい様子。

「あと二〇分ぐらい歩けば、すごい景色が見えるはずだよ」と言います。再び私は一歩、一歩、深い雪の中を進み、ついに御殿山の頂上に着きました。

雪を被った武奈ヶ岳の頂上が、目の前に輝いて見えます。北山と比良山地の山々が延々と連なる景色は壮観で、私たちを取り巻く全てのものに神が宿っているように感じました。私たちは雪の上に腰を下ろして、お弁当を食べました。

「もう二時半だ」と、正は残念そうに呟きます。

「時間的に武奈ヶ岳の頂上に行くのはもう無理だろう。雪が思ったよりも多かったのだから、仕方ないね」と正は言ってくれました。

私たちはここから引き返すことにしました。怖がる私が滑らないようにと、正は左へ右へと雪の中に道を作ってくれました。私の足は疲労のあまりがくがく震え、こんにゃくのようにふにゃふにゃになっていました。森は物音ひとつしない静寂に包まれ、午後の日射しが少しずつオレンジ色に変わっていきました。あと三〇〇メートル、あと二〇〇メートル。葛川坊村にロマンチックな灯りがともっているのが見えました。

やっと山道を下り終え、麓に辿り着いた時の嬉しかったこと。武奈ヶ岳の頂上に立つことはできませんでしたが、私にとっては健康と幸せに感謝を捧げる巡礼の旅となりました。大昔から、比叡山の僧侶たちは葛川坊村まで巡礼の旅をして、ここの明王院で五日間の修行をするそうです。私にとっても雪山登山は、忍耐力を試し心を平静に保つ訓練となりました。この高揚感、これだけの肉体運動。とても疲れていましたが、幸せな気持ちに満たされていました。

When life's path is steep, keep your mind even.

人生の道が険しい時こそ、
心の平静を保つことを忘れないで。

第五章

大原の冬休み

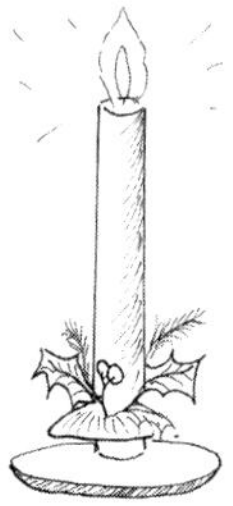

クリスマスの支度

毎年一一月の半ばになると、イギリスのクリスマスには欠かせない伝統的なデザートである、クリスマス・プディングの準備に私はとりかかります。材料をきちんと量って、大きなボウルに入れ、このプディングの材料を家族全員に混ぜてもらいます。混ぜながら願い事をすると、その願い事が叶うというイギリスの言い伝えがあるからです。

プディングは濃い茶色になるまで、約一二時間、蒸します。一日がかりの作業なので、私はクリスマス・キャロルのテープを聴きながら、イギリスの親戚や友人にクリスマスカードを書いて待ちます。テープから流れてくる曲は、私も高校時代に聖歌隊で歌ったものでした。蒸し器の中の水が蒸発しきっていないか、時々ふたを開けてチェックします。プディングが濃い茶色になり、ちょうど良い硬さになったら、シルバーのコインを何枚か埋め込みます。コインを見付けた人には幸運が訪れるという、昔からの言い伝えがあります。

クリスマス・プディングができてから数日後、今度は夫の家族や近所の方々に贈る、イギリスの伝統的なフルーツケーキ作りにとりかかります。ケーキを焼いた後よく冷まして、ブランデーに浸し、綿の布で包んでケーキ缶に密閉します。一ヶ月過ぎると、風味が熟成してぐっとおいしさが増します。次に小さなミンス・フルーツパイを作って、冷凍庫で保存します。これは一二月に我が家にいらっしゃるお客様のためです。

一二月に入ると、いよいよクリスマスの飾り付けを始めます。私は夫や子供たちと一緒に、樅《もみ》の木を探しに近くの森に出かけます。時には険しい山道を一歩一歩登りながら、ヒイラギや松や南天などの枝を探します。これは、クリスマス・リースやクリスマス・キャンドルの飾りに使うため。息子の悠仁《ゆうじん》と孫の浄《じょう》は、松ぼっくりも籠いっぱいに詰めました。これも飾り付けに使います。

「見付けた！　お父さん、この枝がいいんじゃない？」と悠仁が嬉しそうに叫びました。クリスマス・ツリーになりそうな樅の木の大きな枝を見付けたのです。午後の日射しに照らされた枝は、黄金色に輝いていました。私たちは木に、ありがとうのお礼を言ってから枝を切り取ります。切った枝は、車を停めた場所まで引きずりました。手が悴《かじか》んできたので、皆で魔法瓶のローズヒップティーを注ぎ、レモンクッキーを頬張りました。夫が森のくねくねした道をゆっくり運転するうちに、太陽が山の向こうに沈み、夕闇がカーテンのように森を被いました。突然、茶色の小さな動物が茂みに消えて行きました。

「見て、ニーシ。鹿だよ」と浄が叫びました。

「サンタさんのトナカイが、大原で迷子になっているのかもよ」と私は答えました。

翌日からツリーと家の中の飾り付けです。悠仁と浄は、箱からツリー用の電飾やガラスのオーナメントを取り出し、ひとつずつツリーに吊るしていきます。私は自分の子供たちに、クリスマスの伝統の素晴らしさを少しでも味わってほしい。そしていつか彼らも大人になった時、自分の子供たちにも、このわくわくするような喜びを与えてほしいと願っています。

「きれいでしょ？　クリスマスの季節が始まったね」と二人は微笑んでいます。

クリスマスまであと四日になりました。注文していたお店に、七面鳥を取りに行かなくては。九キロもある七面鳥を解凍するには、三日間もかかるのです。

子供たちが良い子にしていれば、きっとサンタクロースは二四日のクリスマス・イブの夜、靴下にプレゼントを詰めてくれるでしょう。サンタクロースは子供たちのお礼の手紙や、グラスワインが用意してあると特に喜んでくれるもの。ですから、サンタクロースへのお礼を居間に用意して、子供たちはベッドに向かいます。

二五日、クリスマスの朝起きると雪が舞っていました。

「何て素敵なホワイト・クリスマスなんでしょう！」

私は思わず声に出しました。早速、キッチンのオーブンに火を入れて、七面鳥を焼く準備にとりかかります。大きな七面鳥を焼くのに半日は要します。しばらくすると、階段を元気に駆け降りてくる足音が聞こえました。おもちゃでいっぱいになった長い赤色の靴下を引きずりながら、浄が嬉しそうに言いました。

「ニーシ、サンタクロースが来たよ。僕が良い子にしてたから、プレゼントをくれたみたい」。浄はプレゼントの中身を私に見せてくれました。靴下、本、スキー用手袋、スケッチブックと絵の具、それからずっと欲しがっていたスーパー・マリオ・ブラザーズのゲーム。大喜びで、浄はさっそくゲームを始めました。やがて家族の皆も起きてきて、みんなで一緒に私の手作りのシュトーレンと紅茶で朝食にしました。それから、クリスマス・ツリーの下に皆で準備しておいたプレゼントを交換しました。

クリスマス・ディナーの準備に追われるうちに、夕暮れが大原の里にも迫ってきました。家中に飾ったキャンドルに、私は火を付けて回ります。柔らかなキャンドルの灯りがロマンチックな雰囲気を醸し出してくれます。毎年クリスマスの夜は、我が家に違うお客様がいらっしゃいます。その年にお世話になった方へのお礼として、招待するのです。

まず、シャンパンの栓を開けて皆で乾杯します。それから大きな七面鳥をオーブンから取り出すと、夫が肉を切り分けて、スライスを二、三枚、ディナー皿に乗せてくれます。私はそれにローストポテト、芽キャベツと栗、ジンジャー・オレンジキャロットを添え、グレイビーソースとクランベリーソースをかけます。これが、イギリスでは昔から定番となっているクリスマス・ディナーです。

ディナー最後のフィナーレは、クリスマス・プディングの点火です。私がプディングにブランデーをかけて照明を消すと、子供たちはシーンと静まり返りました。プディングに火を付け、青い炎に包まれたクリスマス・プディングをテーブルに持っていくと、みんな拍手喝采です。こうして、この一年の思い出などを話しながら、楽しいクリスマスの夜が更けていくのです。

The circle of life in nature is there so that all living things may exist in harmony.

自然界では、命は巡る。
それは、生きるもの全てが調和するため。

Our lives are just like drops in the ocean of time.

私たちの人生は、
時という限りなく大きな海に落ちる
しずくのようなもの。

The Christmas Tree
The ancient tree of life

宗教を超えた地球のお祭り

キリストの誕生日は西暦一年の一二月二五日だと思われている方が多いと思います。ところが、キリストの誕生日がいつなのか聖書には書かれていません。実際のところ、西暦一年一二月二五日ではないという説が多いようです。西暦一年がキリストの生まれた年と決められたのは、ずっと後の西暦三二五年のキリスト教会の会議（第一回ニカイア公会議）でのことです。キリストが生まれた年は、紀元前八年頃から西暦一年頃までの間ではないかという説があるようです。また、一二月ではなく、四月から九月までの間ではないかともいわれています。天使により救い主の降誕を知らされた羊飼いが、キリストの誕生のお祝いに小屋に来ましたが、すぐに夜中の羊の見張りに戻っていったと聖書に記されています。当時のベツレヘムでは、四月から九月まで羊を放牧し、冬の間は羊を小屋に入れていたということです。

古代ローマでは、農耕の神サトゥルヌスを崇める「サトゥルナリア」というお祭りが、一二月一七日から二四日までの一週間、催されていました。冬至の日まで弱くなり続ける太陽を、サトゥルヌスが復活させてくれることを祝うお祭りです。その頃のローマ帝国では、太陽信仰のミトラス教が多くの人々に受け入れられていました。サトゥルナリアの翌日の一二月二五日は太陽がよみがえる日とされ、ミトラス教では最も重要な祭日とされていました。人々は家の出入り口やテラスをローズマリーや月桂樹など、永遠の命の象徴とされる常緑樹の葉で飾りました。このようなハーブは邪悪なものから家を守る魔除けになるとも信じられていました。人々はローソクや小さな人形を贈物として交換し、また、富める者は、貧しい隣人たちにお金や衣類を施す習慣もあったようです。

一月一日を過ぎると、「カレンズ」という古代ローマの新年のお祭りが始まります。この時期にも、友人、親戚、子供たち、召使いの間でプレゼント交換が行われました。太陽の象徴としてランプを贈ったり、甘く平和な一年が過ごせるようにお菓子や蜂蜜が贈られたり。また、さらなる繁栄と金運を祈って、金や銀を贈ることもありました。プレゼント交換の習慣はその後も受け継がれ、今ではクリスマスに欠かせない行事となっています。

一方、ヨーロッパでは北ヨーロッパを中心に「ユール」と呼ばれる冬至の祭りが、一二月六日から一月六日まで催されていました。農耕や狩猟の収穫への感謝と、翌年の豊穣祈願の祭りです。ローマ帝国はヨーロッパ全土に進出していく過程で、ヨーロッパ先住民を兵士にしていきました。兵士になった先住民の多くはゲルマン人だったので、ゲルマン人の生活や風習などが、ローマ帝国へも影響を及ぼしたようです。

キリスト教を国教としたローマ帝国は、ヨーロッパ各国をキリスト教化していきます。しかし、強引にキリスト教徒にしたのではなく、その国や民族の風習や文化に融合させてキリスト教を広めていきました。キリスト教会は、人々がクリスマスを受け入れやすくなるようにユールやサトゥルナリアと同じ時期に定めたようです。そして、西暦三二五年に行われた、第一回ニカイア公会議でキリストの誕生日が一二月二五日に決められたのです。

　クリスマス・ツリーの発祥の地は、ドイツというのが一般的なようです。日本でクリスマス・ツリーといえば樅の木を指しますが、今の時代、ヨーロッパでは樅の木が減っているので、樅の木に似たヨーロッパトウヒが、クリスマス・ツリーに多く使われているようです。ドイツのある山岳地方では、樅の木には小人が住んでおり、人々に幸せを運んでくれると信じられていたそうです。クリスマス・ツリーが樅の木になったのは、それと関係があるのかもしれません。

　ライン川東部の森林地帯では、ユールの祭りになると、樅の木などの常緑針葉樹に飾りを付ける行事がありました。その地方に暮らしているゲルマン人たちは、森に生えている樅の木を選び、その枝に木彫りの動物をぶら下げて飾りました。木彫りは動物神の象徴となり、樅の木は「命の木」と呼ばれ、森の生命のシンボルとされました。彼らはその樅の木の周りで歌い踊り、そして春の訪れを祈りました。それから何世紀も後にキリスト教が布教されると、ユールはクリスマスへと姿を変えていきました。そして、樅の木の上には、大きな星の飾りが付けられるようになりました。その星はキリスト生誕時に現れた、ベツレヘムの星を表しているということです。

　一六〇五年、ドイツのストラスブルグの作家がクリスマス・ツリーの飾り方を匿名で発表しました。それには、家の中での樅の木の置き方や、樅の木に、りんご、お菓子、金箔で作った飾り、色紙で作ったバラを飾る方法などが述べられています。クリスマスにクリスマス・ツリーを飾る習慣は、まずドイツで始まりました。そしてヨーロッパよりも先に、ドイツ移民によってアメリカで広がったということです。

イギリスのウィンザー城で毎年行われるロイヤルツリーの始まりもドイツからだといえそうです。一八四一年、ドイツのアルバート公は花嫁となったイギリスのヴィクトリア女王にローソクの灯りで飾られた巨大なクリスマス・ツリーをプレゼントしました。この王家のクリスマス・ツリーは人気を呼び、一八六〇年代にはイギリスではもちろんのこと、クリスマス・ツリーは欧米各地に広がっていきました。

キリストの祖先やユダの祖先を辿ればアブラハムだと聖書に書かれています。マホメットの祖先もアブラハムだとコーランに記されています。つまり、キリスト教、ユダヤ教、イスラム教のルーツは同じところからきています。偉大な精神的指導者は、真理と愛と平和を私たちに伝えてくれました。しかし、後に教えを引き継いだ人々は、その教えを宗教という形に作りあげていきました。教えが宗教になってしまうことが、キリストの望みであったかどうかは疑問です。クリスマスの起源を調べていくうちに、クリスマスはキリスト教という宗教を超えて、地球に住む人類全体のお祭りではないかと、私は思うようになりました。

クリスマス・フルーツケーキの話

北ヨーロッパの冬は暗く、太陽が出るのは午前九時か一〇時頃です。古代から北ヨーロッパでは、毎年一二月二一日の冬至の日を祝っていました。「ユール」いう名のお祭りが、一二月六日から一月六日まで催されていたのです。冬が来て、日に日に夜が長くなるにつれ、人々は太陽の日射しがいつか消えてなくなるのでは……と不安に思ったことでしょう。厳しい寒さの中、狩猟も農耕もできず、春の訪れをひたすら待ち焦がれる日々を送ったのだと思います。

今から二〇〇〇年、あるいは三〇〇〇年も前のある頃より「ユールログ（Yule Log）」という行事が北ヨーロッパで始まりました。ヨーロッパがキリスト教化されるずっと前の時代のことです。森でオークの大木を切り倒し、その丸太を村まで運んで大きな焚き火をするのです。この炎は、ユールの期間である一二月六日から一月六日まで絶やすことなく燃やされました。その頃、青銅器時代に中央アジアからヨーロッパ各地に広がっていたケルト民族の間では、ドルイド（古代ケルト人が信仰した自然崇拝の宗教の司祭）がこの炎から種火をとり、森の中に作られた教会に明かりを灯しました。そして、次のユールが行われる翌年の冬至まで絶やすことなく炎が保たれたということです。

この頃のヨーロッパには、たくさんの宗教があったようです。時代を経てキリスト教がヨーロッパで広まるにつれ、キリストの誕生日とユールが結び付きました。ヨーロッパでは、クリスマス・シーズンを「アドヴェント（待降祭）」とも呼び、それはユールと同じ一二月六日から一月六日までの時期を指しています。各地で古代から続いていたその地域の慣習、文化、行事などは、ローマ帝国がヨーロッパを支配していくうちに、ローマ帝国が広めるキリスト教の文化と融合していったようです。

目を閉じると、北ヨーロッパ先住民たちが、ユールの時期になると燃え盛るオークの炎を囲んで、暖をとっている様子が浮かんできます。彼らは雪の中で歌を唄いました。また、古代の勇敢な英雄や恋愛を綴った物語が、親しい人から人へ、また親から子へと語り継がれました。

そして、ミード（蜂蜜酒）とりんごの醸造酒で作った温かいアルコール飲料を、「ワッセイリング・カップ（wassailing cup）」といい、大きなカップに入れて回し飲みしていたようです。これは「健康を祈る」という意味のアングロ・サクソンの言語「ワスヘイル（Washael）」に由来します。また、その時お粥のようなものも食べていました。肉、小麦、様々なドライフルーツ、数種類のスパイスなど、冬の間に手に入るわずかな材料で作ったお粥です。老若男女が暖かな焚き火の傍で夜空の星を眺めながら、ワッセイリング・カップやお粥でお腹を満たして、楽しい時を過ごしていたのでしょう。

このお粥の濃度は長い年月を経るうちに濃くなっていきました。また、材料から肉が姿を消し、ドライフルーツなどの甘い材料が主体となって、食後のデザートとして出されるようになりました。イギリスではお粥がスティームド・プディングに形を変え、現在のクリスマス・プディングになったのです。また、このプディングと同じ材料を蒸すのではなく、焼いてケーキが作られるようになりました。イギリスでは、クリスマスに作る実のずっしり詰まったこってりとしたフルーツケーキが、結婚式や洗礼式にも出されるようになりました。このケーキを食べると幸せが訪れるとされ、一年中ずっと幸運が続くように、ケーキを薄切りにして、少しずつ時間をかけて食べるのです。そして、ワッセイリング・カップは、クリスマスに飲むホットワインに変わりました。

フランスではユールログの薪が、クリスマスの有名なチョコレート・ケーキ「ブッシュ・ド・ノエル」に形を変えました。ドイツでは、クリスマス・ツリーとシュトーレンが欠かせません。物憂い冬の日を明るく照らしてくれるクリスマスは、大人にとっても子供にとっても楽しみなイベントです。クリスマス・プディングやフルーツケーキを食べる時は、古代北ヨーロッパでユールのお祭りを祝う時に出されたお粥に想いを馳せたいと思っています。

Traditional Christmas Fruit Cake.

年末に日記を振り返って

今日は大晦日。今年最後の太陽が、大原を囲む山の尾根に沈もうとしています。私は二階の書斎で机に向かい、日記をしたためています。私にとって目まぐるしかったこの一年。本当にいろいろなことがありました。年が変わる前に、まだまだ書いておきたいことがいくつもあるのです。

クリスマスの間は、子供や孫たちがやって来て、我が家は賑やかでした。しかし、大晦日は、彼らは私の前夫の家で過ごすことになっています。現在の夫である正は、趣味が登山なので、お正月は山で迎えます。私と正の息子の悠仁《ゆうじん》は、毎年二人きり。少し寂しいけれど、なるべく楽しくお正月を迎えるようにしています。

今朝は庭の落葉を掃きました。お昼過ぎにはお節料理を作り、黒い漆の重箱に詰め、台所も上から下まできれいに掃除しました。悠仁はこたつに入って、紅白歌合戦を見ています。私も紅白歌合戦の最後の三〇分を見ないと、お正月を迎える気分になりません。

私は八歳の頃から日記をつけています。といっても、毎日必ず書くわけではなく、ひとりの時間がある時に、自分に起こった辛いことや楽しい出来事を書き留めています。日記を書くようになったきっかけは、八歳の時にもらったクリスマス・プレゼントの日記帳。その頃、文章が何とか書けるようになった時でもあります。

私の母ジュリアナは二〇歳で私の父、デレク・スタンリー・スミスと結婚しました。ところが、二年後に二人は離婚したので、私も弟のチャールズも、両親と共に暮らした思い出はありません。結局、母は結婚と離婚を四回も繰り返しました。新しい父に、私がようやく慣れたと思ったらその生活の幕が閉じる、ということが繰り返されたのです。子供は、悩みがある時は両親に相談できるのが理想だと思いますが、私の育った環境はそうではありませんでした。何か話したいことがあると、私は乳母のディンディンに聞いてもらいました。ディンディンがいない時は、代わりに日記帳が私の話を聞いてくれたのです。辛いことを日記にしたためると、心の中の重たいものが取れて、スーッと軽くなりました。また、楽しいことはいつまでも忘れたくないので、日記に書き残しました。

六歳からの一二年間、乳牛で有名なジャージー島で、私は暮らしていました。私たち兄弟は育児棟で五時半頃に夕食をとり、その後、ディンディンに連れられて母のいる居間まで行き、おやすみの挨拶をするのが習慣でした。私たちが部屋に入ると、母は「学校はどうだった?」と尋ね、おやすみのキスをしてくれます。そして、子供たちはそれぞれの寝室に戻ります。それでもまだ午後七時頃なので、私たちは読書をしました。やがて眠くなると、日記をつけて灯りを消しました。

小学校では聖書の言葉や諺や名言をよく教わりました。当時の私は、そんな言葉の数々が、後の人生でどれほど大きな意味を持つことになるか、考えてもみませんでした。ところが、その後の人生でいろいろな局面に遭遇する度に、昔暗記させられた名言や諺に助けられたことが何度もありました。今自分が何をすべきかを気付かせてもらったり、時には勇気付けられたこともあります。今でも私は、新たに覚えた名言を日記帳に書き留めています。

私の子供時代の日記帳は、私が一九歳でインドを目指してイギリスを離れた後に、行方が分からなくなりました。何年経っても私がイギリスに戻らなかったので、母は私が暮らしていたロンドンのアパートを売ってしまったのです。そのため、それまで私が書き続けていた日記の行方は分からなくなってしまいました。現在、私の手元にある日記帳の中で一番古いのは、一九七〇年にインドの瞑想道場で滞在中に綴ったものです。毎日、瞑想の先生や、瞑想道場に集まる多くの人々からたくさんの刺激を受けました。その時の感動を残しておきたかったので、日記にしたためました。

その一〇ヶ月後に来日してからは、長い間、日記をつけていませんでした。日本の言葉や生活に慣れるのに一生懸命で、余裕がなかったのかもしれません。二三歳で結婚して家庭を持つと、三人の子育てで忙しくなり、一年ごとに子供のアルバムを整理するのが精一杯でした。一九八二年にイギリスに里帰りした際に、エコノミークラス症候群になり、二週間ほど入院したことがあります。医師から安静を命じられたので、イギリスを離れるまでの人生と、日本での一二年間の出来事を書き留める絶好の機会になりました。長い間、日記を書いていなかったので気になっていたのです。この時から、文章を書くことがおもしくなってきました。

その数週間後に京都に戻ってからも、私は日記を書き続けました。最初は、子育ての日々を綴りました。子供が成長したら、幼い頃どんな様子だったかを、子供たちに話してあげたいと思ったからです。大原に引っ越してからは、ガーデニング日記もつけ始めました。季節に応じた庭の作業を記録して覚えておくためです。そして最近は、イラスト付きの登山日記もつけています。山がどんな様子で、登ってどんな気持ちになったかを残しておきたいからです。

今も私が日記を書き続ける動機のひとつは、気持ちを落ち着かせるためです。それは、子供の頃に日記をつけていた時の気持ちと、基本的に同じなのでしょう。また、心の底から言いたいことを、日本語でうまく人に伝えられないもどかしさが、私に日記を書かせているのかもしれません。それと、どんなに大変なことが起きている時でも「私は人生に負けたくない。辛いことを乗り越えたい」という気持ちが常にあります。日記を書くことにより考えが整理され、また、日記が私を前向きに生きろと励ましてくれるのです。

テレビで除夜の鐘の中継が始まりました。今年も幕を閉じ、間もなく新年が始まろうとしています。私は、シャンパンのコルク栓を天井に向けて、勢いよく飛ばしました。

Think about it for a moment.
Isn't the planet Earth, where we are all living,
the most beautiful place in the universe?

一瞬でいいから、考えてみて。
私たちみんなが住んでいるこの地球は、
宇宙の中で一番美しい星でしょう?

MERRY
CHRISTMAS

本書の完成のために協力してくださった多くの方々に、再度心からの感謝の意を表したいと思います。まず、長い時間をかけて、辛抱強く私のエッセイを日本語にまとめてくれた夫の正。本書のエッセイだけでなく、私のブログやNHKで放映中の番組、『猫のしっぽ　カエルの手』で語る私のエッセイを翻訳してくださる竹林正子さんにも感謝しています。

それから、原稿のタイピングをはじめ、日々事務所で様々な対応をして私を助けてくださる英会話学校のスタッフ、ビスゴー・悦子さん、諏訪順子さん、岩崎千代さん、関本順さん、ガリー・ブルームさん。本当にありがとうございます。

さらに、家の庭仕事や写真撮影に力を貸してくださる方々がいらっしゃらなくては、私は日々の料理や掃除もこなせなかったことでしょう。いつも快く我が家まで足を運び、家事や庭仕事を手伝ってくださった前田敏子さん、辻典子さん、清水明子さんには本当にお世話になりました。

この国で私の想いを発信する機会を与えてくださった、世界文化社の飯田想美さん、京都新聞の吉澤健吉さんにも感謝を捧げます。

最後になりましたが、娘のジュリーにも心から感謝します。脳障害を抱えながらも、常に私を励まし、前に進ませてくれました。彼女なりの方法で、できる限り私を手伝ってくれました。

それから息子の悠仁、孫の喜真《きま》と浄も、私がエッセイを書けるようにと家の手伝いをしてくれました。ありがとう。

私は、日々の暮らしの一瞬、一秒を意識したいと思っています。本当の幸せは私たちの心の中にあるのですから。自分の心の声に耳を傾けることを忘れずに……。

ベニシア・スタンリー・スミス
2009年9月1日　大原の自宅にて

協力店

◆大原工房（p. 36）
京都府京都市左京区大原草生町327
TEL. 075-744-3138

◆奥村ミシン商会（p. 32）
京都府京都市東山区本町6丁目17
TEL. 075-561-5368

◆カフェ・ミレット（p. 94）
京都市左京区静市静原町1118
TEL. 075-741-3303
www.cafemillet.jp/　http://blog.cafemillet.jp

◆「上賀茂の家」アトリエ（p. 40）
京都市北区上賀茂南大路町22
www.mayumitonomura.com

◆唐長（p. 49）
京都市左京区修学院水川原町36-9
TEL. 075-721-4422
www.karacho.co.jp/

◆中島陶房（p. 78）
山口県下関市豊浦町大字川棚2276-26
TEL. 083-774-2567

◆パパジョンズ・カフェ 本店（p. 87）
京都市上京区烏丸上立売東入る相国寺門前町642－4
TEL. 075-415-2655
www.papajons.net/

◆藤井山次（p. 46）
京都市左京区大原戸寺町109
TEL. 075-744-3088

◆マーク・ピーター・キーン（p. 43）
The Office of Marc Peter Keane
119 Irving Place
Ithaca NY 14850-4711　USA
www.mpkeane.com

◆「Flowers in Folk Art」アトリエ＆教室（p. 53）
京都市左京区一乗寺里ノ西町14
TEL. 075-781-4822

◆ヴィレッジ・トラスト・つくだ農園（p. 74）
TEL. 090-2260-1538/075-744-3866
http://oohara.earthblog.jp/

ベニシアインターナショナル
www.venetia-international.com/

写真・翻訳　梶山正
イラスト　ベニシア・スタンリー・スミス
ブックデザイン　縄田智子（L'espace）
校正　金沢淑子
協力　竹林正子　井元智香子
編集　飯田想美

本書は、2001年4月から2003年12月まで京都新聞に
連載された「ベニシアの大原日記」を大幅に改稿し、
書き下ろしを加え、編集したものです。

ベニシアの京都 里山日記
大原で出逢った宝物たち

2009年10月30日　初版第1刷発行
2010年 3 月10日　第3刷発行

著　者　ベニシア・スタンリー・スミス
発行者　内田吉昭
発　行　株式会社世界文化社
〒102-8187 東京都千代田区九段北4-2-29
編集部　電話 03-3262-5475
販売部　電話 03-3262-5115
印刷・製本　凸版印刷株式会社

ISBN 978-4-418-09507-0